A ÚLTIMA VIAGEM DE
BORGES

A ÚLTIMA VIAGEM DE BORGES

— DUAS POSSIBILIDADES DE ENCENAÇÃO —

IGNÁCIO DE LOYOLA BRANDÃO

SÃO PAULO - 2005

Diretor Editorial
JEFFERSON L. ALVES

Gerente de Produção
FLÁVIO SAMUEL

Assistente Editorial
ANA CRISTINA TEIXEIRA

Fotografias (Encarte e Capa)
JEFFERSON PANCIERI

Revisão
CLÁUDIA ELIANA AGUENA

Capa
VICTOR BURTON

Direção de Arte
EDUARDO OKUNO

Editoração Eletrônica
ANTONIO SILVIO LOPES

Dados Internacionais de Catalogação na Publicação (CIP)
(Câmara Brasileira do Livro, SP, Brasil)

Brandão, Ignácio de Loyola, 1936-
A última viagem de Borges : duas possibilidades de encenação / Ignácio de Loyola Brandão. – São Paulo : Global, 2005.

Bibliografia.
ISBN 85-260-1006-9

1. Teatro brasileiro I. Título.

05-4355 CDD–869.92

Índices para catálogo sistemático:

1. Teatro : Literatura brasileira 869.92

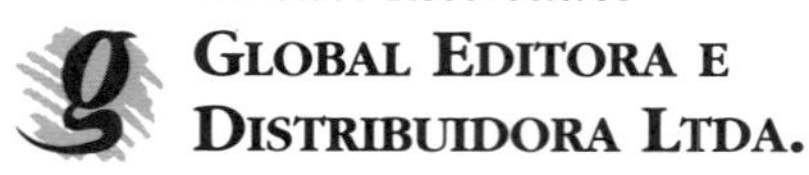

Rua Pirapitingüi, 111 – Liberdade
CEP 01508-020 – São Paulo – SP
Tel.: (11) 3277-7999 – Fax: (11) 3277-8141
e-mail: global@globaleditora.com.br
www.globaleditora.com.br

Nº DE CATÁLOGO: **2664**

Para Pedro Delboni Brandão, que inaugurou um novo período em minha vida, o de avô, e nasceu no momento em que eu procurava mais um caminho na carreira.
Para Maria Bonomi e Sérgio Ferrara, responsáveis pela idéia, mas não pela possível má qualidade do texto. Eles me induziram, em setembro de 2003, a fazer esta evocação ou alegoria e me levaram a descobrir Buenos Aires, um encantamento.
Para Jorge Schwartz que me orientou por dentro de três mil páginas de JLB e me guiou pelos labirintos de vasto material complementar, quase impossível de ser percorrido em um ano, prazo que tive para estruturar um texto que permanece aberto e pode ser revisto, corrigido, modificado e aumentado a cada leitura, releitura ou representação de Borges.

FICÇÃO E NÃO REALIDADE

Para evitar mal-entendidos, possíveis desencontros, erros de interpretação e julgamento, depois de breve troca de e-mails, enviei à senhora María Kodama, viúva de Jorge Luis Borges, uma carta explicando que este texto não é a realidade e sim pura ficção baseada nos referenciais borgianos, calcada no seu mundo rico e envolvente. Leia o e-mail enviado à senhora Kodama no final do livro. Ela tinha solicitado que retirasse do texto os nomes de Borges e María Kodama, não autorizava a peça com eles. O dela foi retirado e no lugar de María Kodama, personagem que existia inicialmente, entrou Alicia, uma copista (Borges escrevia os poemas no dorso da mão, depois ditava a uma copista), assistente, secretária, figura imaginária. Mas, após consulta ao escritório de advocacia Cesnik, Köpke & Salinas, especializado em Direitos Autorais, decidiu-se manter o nome de Borges. Porque se levou em conta que não é adaptação nem biografia e sim uma fábula que não denigre, não calunia, não achincalha, não julga, não ironiza, não diminui nem penetra na intimidade e não tem ambigüidades em relação ao personagem. Ao contrário é uma evocação poética, homenagem, que inclusive ajuda a penetrar nos labirintos borgianos, nos seus símbolos mais caros e recorrentes, despertando interesse pela obra de um dos maiores escritores latino-americanos, senão mundiais.

São Paulo, junho de 2005

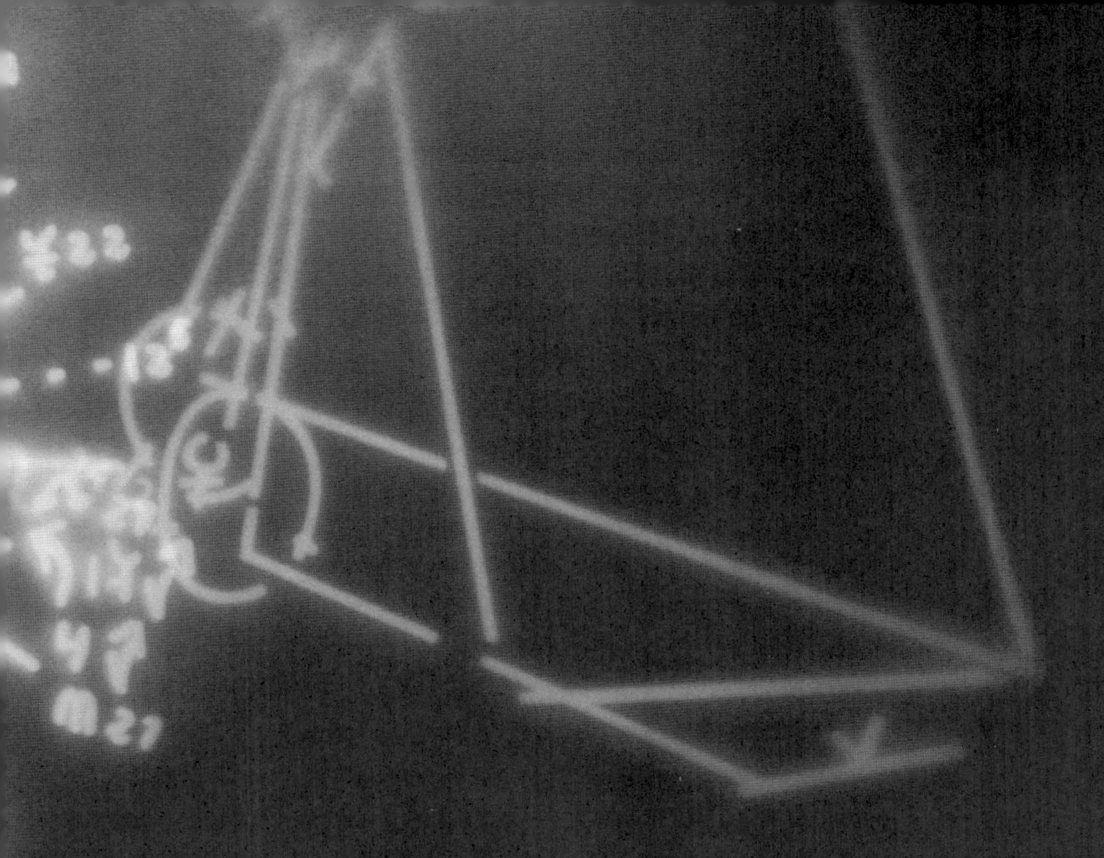

Este texto não é uma biografia de Jorge Luis Borges nem a interpretação ou adaptação de sua obra.

É ficção a partir de alguns de seus referenciais, obsessões, manias, idiossincrasias, medos, fascínios, lembranças, visões, truques, fraudes deliberadas, ironias, sarcasmos, magias.

Imaginário em cima do imaginário borgiano.

Este texto é uma possibilidade.

Viagem de aventuras e fantasia possível de ser vivida por qualquer criador, já que a literatura de Borges possibilita caminhos por dentro do não ser/não existir/não acontecer/acontecendo.

Evocação e homenagem pela ampla liberdade que ele mostra ser possível nos levando a penetrar em mundos que suspeitamos existir, queremos que existam, fazemos existir.

Maria, Ferrara, meus atores, meus personagens

É de manhã. Acordei, não consegui dormir. Todas as imagens rolando pela cabeça. Em hora e meia vocês colocaram anos, séculos, milhares de coisas dentro de mim. Valeu a pena. Um ano, dez versões, noites, finais de semana. A cada página eu imaginava: como será no palco? Conseguirão? Conseguiram. Superaram. Ultrapassaram. Voaram. Entenderam. Se ofereceram ao texto. Uma peça no papel é morta. Ela depende de vocês. De cada um. Uma peça que se desengrena, o motor não marcha, rateia. Ontem, vi todas as peças no lugar. Obrigado pelo talento, força, sacrifício, dedicação. Um autor que tem tal equipe, criativa, louca, insana, maravilhosa, é um autor vivo. Escrevendo o Borges que agoniza em meio ao seu imaginário, convalesci para a criação. Eu que estava cansado de romances, contos, etc., ia desistir. Retornei. Assim como retornei nove anos atrás. Ficando, não partindo. Dominando o aneurisma. Poucos homens renascem duas vezes. Da outra, tive os médicos. Desta vez, vocês.

Abraços.
Loyola

Curitiba, Hotel Slaviero Palace, 7h30 da manhã de 18 de março de 2005

BILHETE ENVIADO AO ELENCO NA MANHÃ SEGUINTE À ESTRÉIA DA PEÇA

A ÚLTIMA VIAGEM DE BORGES

(Uma evocação)

Versão que foi para o palco

Personagens

JORGE LUIS BORGES — poeta, contista, ensaísta, tem 87 anos.

ALICIA — secretária, assistente, copista, a quem Borges costumava ditar seus textos, depois de criá-los mentalmente, escrevendo no dorso da mão com os dedos. Entre 30 e 40 anos.

SHERAZADE — personagem de *As Mil e Uma Noites.*

SIR RICHARD FRANCIS BURTON — aventureiro, descobridor das nascentes do Nilo, tradutor para o inglês de *As Mil e Uma Noites*, do *Kama Sutra* e de *Os Lusíadas.* Entre 40 e 50 anos.

FUNES — personagem de Borges no conto "Funes, o Memorioso".

O BIBLIOTECÁRIO IMPERFEITO — guardião da Biblioteca de Babel (citado dentro do conto "A Biblioteca de Babel". Para Borges, o homem é o imperfeito bibliotecário).

O CARTÓGRAFO PERFEITO — comanda uma equipe destinada a produzir o mapa perfeito do mundo. A partir de uma citação dentro de um dos textos de Borges. Qualquer idade.

NARRADOR DO FILME — jovem contratado por Borges para narrar as imagens dos filmes. Borges podia ouvir os diálogos, mas necessitava das "imagens". Também chamado de Menino, acompanha Borges na sua viagem. Vinte e três anos.

No teatro, a partir do hall de entrada, nas bilheterias, paredes da sala, no palco, pelo chão, banners, bandeirolas, cartazes contêm os nomes de alguns autores lidos e comentados por Borges. Os nomes estão dentro de flechas indicativas de direção, umas apontando para um lado, outras para o outro, para cima, para baixo, indicando diferentes autores, conceitos, leituras, tendências. Borges não terá sido um grande zombeteiro, um manipulador que desafiou os que procuraram interpretá-lo eruditamente, seriamente, pretensiosamente? Um mistificador de gênio (como o chamou Otto Maria Carpeaux), um ilusionista? Há alegria nessa trajetória de um homem que escolhe amigos entre autores e personagens para a sua viagem final.

Agripa – Alan Pryce-Jones – Allan Griffiths – Alberto Gerchunoff – Aldous Huxley – Alexander Laing – Alexander Ross – Alfonso Reyes – Alfred Doblin – Almafuerte – André Breton – André Gide – Andrew Lang – Antoine Galland – A. N. Whitehead – Apolônio de Rhodes – Ariosto – Aristóteles – Arriwara No Harihira – Arthur Machen – Attilio Momigliano – Attilio Rossi – Balzac – Baltasar Gracián – Bacon – Baudelaire – Benedetto Croce – Bernard Shaw – Bioy Casares – Bonestre – Boswell – Bret Harte – Butler – Byron – Camões – Carl Sandburg – Carlo Veja – Carlos Muzzio Sáenz Pena – Charles Duff – Chesterton – Cervantes – C. E. M. Joad – Cláudio Elano – Coleridge – Countée Cullen – Cunningham Graham – Daniel Defoe – Daniel Rojos – Dante – Descartes – Dino Buzzati – Domingo F. Sarmiento – Dostoievski – Eça de Queiroz – Edna Ferber – Edgar Lee Masters – Edward Shanks – Elmer Rice – Emerson – E. M. Forster – Ernoul – Euclides da Cunha – Edward Gibbon – E. E. Cummings – Eduardo Gutiérrez – Ellery Queen – Elmer Rice – Emile Faguet – Evaristo Carriego – Edward Fitzgerald – Edward Kasner – Ernst Bramah – Eugene O'Neill – Estanislao Del Campo – E. S. Pankhurst – Evelyn Waugh – Ezequiel Martínez Estrada – Flávio Josefo – Frank Swinnerton – Franz Werfel – Frederico de Onís – Frei Luis de León – Freud – Fernando Pessoa – F. H. Bradley – F. O.

Mathiessen – Fritz Von Unruh – G. B. Harrison – G. K. Chesterton – Gerhart Hauptamnn – Georges Simenon – Gerald Heard – Giovanni Papini – Giuseppe Donini – Goethe – Georg Cantor – Graham Greene – Gustave Flaubert – Gustav Meyrink – Gustav Spiller – H. L. Mencken – Henry Céard – Herman Melville – Hermann Lotze – Hermes Trimegisto – Heródoto – Hillaire Belloc – Hilaire Belloc – H. G. Wells – Hobbes – Héctor Bianciotti – Henry Duvernois – Henry James – Henry Michaux – Hermann Broch – Hermann Broch – Hermann Hesse – Herman Sudermann – Heródoto – Homero – Hugh Walpole – Hume – Ibsen – James Joyce – Isaac Babel – Jacques de Vitry – James Frazer – James Mathew Barrie – James Farrell – J. B. Harrison – J. B. Priestley – J. M. Salaverria – João Escoto Erígena – John Donne – John Midleton Murry – Jorge Isaacs – Jorge Santayana – José Antonio Conde – José Hernández – Jung – Jules Romains – Júlio César – Julio Cortázar – Juan José Arreola – Juan Rulfo – J. W. Dunne – Jonathan Swift – John Wilkins – Kafka – Karel Capek – Keats – Kepler – Kierkegaard – Lama Yongden – Langston Hughes – Leibniz – Leslie D. Weatherhead – Lao-Tsé – Leusden – Lhomond – Liddel Hart – Leopoldo Lugones – León Bloy – Liam O'Flaherty – Liliencron – Louis Augusto Blanqui – Luciano de Samosata – Lytton Strachey – M. Davidson – Marcel Schwob – Maurras – Macedonio Fernández – Manuel Mujica Lainez – Manuel Peyrou – Marco Pólo – Maurice Maeterlinck – Mauthner – Mark Twain – Max Eastman – Miguel de Unamuno – Milton – Murasaki – Nathaniel Hawthorne – Nicholas Blake – Nietzsche – Nicolau de Antióquia – Omar Khayyam – O. Henry – Olaf Stapledon – Oscar Wilde – Ouspenski *(Tertium Organum)* – Oswald Spengler – Papini – Parmênides de Eléia – Pascal – Pater – Paul Groussac – Pedro Henríquez Ureña – Pierre Delvaux – Pearl Kibbe – Pirandello – Plínio – Poe – Plotino – Quevedo – Quicherat – Rabelais – Rabindranath Tagore – Radclyffe Hall – Rafael Cansinos-Asséns – Ramón Gomez de La Serna – Ray Bradbury – René Descharmes – R. B. Monat – Ricardo Rojas – Rimbaud – Robert Graves – Roberto Godel – Romain Rolland – Rothe – Roy Campbelll – Rudiard Kipling – Rudolf Steiner – Rubén Darío – Santayana – Santiago Dabove – Santo Agostinho – Shakespeare – Stuart Mill – Spinoza – Samuel Beckett – Samuel Johnson – Santiago Daboue – Spencer – Stevenson – Scholem Asch – Somerset Maugham – Sêneca – Schopenhauer – Spengler – Snorri Sturluson – Swedenborg – Swift – Swinburne – Tasso – Tennyson – T. E. Lawrence – Theodore Dreiser – Tomás de Aquino – Thomas Carlyle – Thomas Mann – Thomas De Quincey – Thorstein Veblen – T. S. Eliot – Taso Hsue Kin – Ungaretti – Valery Larbaud – Virgilio – Virginia Woolf – Voltaire – Valéry – Victor Hugo – Zenão – W. B. Yeats – W. H. D. House – Walt Whitmann – William Beckford – Wilkie Collins – William James – William Blake – William Faulkner – William Morris – Wolfgang Schultz.

Ao terceiro sinal, com o público acomodado, se percebem sombras na penumbra do palco. Borges entra, acomoda-se em uma cadeira, alguém passa uma esponja em seu rosto. A luz acende apenas sobre Borges em sua poltrona.

BORGES — As palavras são astuciosas e armam ciladas para nos desafiar. A minha palavra fugiu. Escapou e se escondeu. Eu a construí durante um longo tempo "com sílabas articuladas cheias de ternuras e temores" (A Biblioteca de Babel, *Obras Completas* I, p. 522). Assim que a vi pronta, não me atrevi a escrevê-la, nem a comunicá-la a ninguém. Eu a deixei guardada, mas ela desapareceu. Era uma palavra única. Sem ela, me sinto cego, eu que jamais lamentei a cegueira. Criei e perdi a palavra que seria a mais perfeita do mundo. E agora, o que faço?

Um filme projetado sobre a tela do fundo. A Malvada *(All About Eve). Borges de frente para o público. O narrador de costas, olha o filme e narra a imagem que está na tela. Alicia ao lado de Borges.*

NARRADOR — Mulher loira, alta, usando um casaco de pele, olha para uma jovem de capa clara e chapéu de chuva, ar de provinciana, que anda pelos bastidores do teatro e chega até o palco, olhando deslumbrada a boca de cena...

BORGES — Celeste Holm e Anne Baxter...

NARRADOR — A mulher com o casaco de pele parece divertir-se com a fascinação da provinciana e se encaminha até a porta de um camarim, seguida pela outra que revela estar descobrindo um mundo encantado. Ela abre a porta do camarim. Estamos dentro. Uma mulher diante do espelho, uma faixa na cabeça, retira a maquiagem. Fuma e tem uma maneira elegante de segurar o cigarro...

BORGES — Bette Davis...

NARRADOR — Fora ela, há mais duas pessoas no camarim. Um homem bem-vestido, de boa aparência, jeito de intelectual, riso levemente irônico...

BORGES — Hugh Marlowe... Me faz lembrar Bioy Casares...

NARRADOR — A mulher de casaco de pele se dirige à atriz que está diante do espelho...

ALICIA — Não precisa ler o diálogo. Continue contando só as imagens. Eu só pedi para você narrar as cenas. Apenas isso. Narre o melhor que puder!

NARRADOR — A camareira anda de um lado para o outro. A mulher retirou o casaco de pele. Anda de um lado para o outro. A atriz de faixa na cabeça parece inquieta, levemente irritada...

ALICIA — Você está falando de uma forma muito fria.

NARRADOR — Mas tudo é muito rápido.

BORGES — Torne as imagens vivas.

NARRADOR — Nunca fiz isto antes. Estou tentando.

BORGES — Me diga se a personagem está nervosa ou calma. Inquieta ou cínica. Se a expressão deixa transparecer que está mentindo. Se tem o riso debochado ou medroso...

NARRADOR — Tudo isso? Para mim é difícil!

BORGES — Os bons atores são sutis. Bette Davis foi a maior de todas. Quando ela diz as falas é preciso olhar nos seus olhos. Preste atenção no franzir da boca.

NARRADOR — Mas são detalhes demais!

ALICIA — Pronto! Ficamos conversando, conversando e perdemos o filme!

NARRADOR *(rápido, tenta relatar o que já passou)* – A mulher de casaco de pele tentou convencer a atriz para que receba a outra, a provinciana de capa e chapéu...

BORGES — Não adianta! Pode parar, não adianta! (*Para Alicia.*) Eu estou fazendo tudo para me distrair e não adianta. Eu só penso na palavra, o tempo inteiro.

NARRADOR *(intrigado)* — Na palavra?

BORGES — Na que perdi.

NARRADOR *(sem entender)* — Que palavra?

ALICIA — Nada ainda? Não conseguiu se lembrar?

BORGES — Não adianta!

ALICIA — Não tem importância, daqui a pouco ela volta.

BORGES — Não, eu preciso fazer alguma coisa. Quanto mais o tempo passa, mais longe ela fica. Ela tem de estar em algum lugar. Ariosto, no século XV, imaginou "um guerreiro que descobria na Lua tudo o que se perde na Terra. As lágrimas e suspiros dos amantes, o tempo desperdiçado no jogo, os projetos inúteis e os anseios insatisfeitos" (Crônicas Marcianas, Ray Bradbury, em *OC* IV, p. 30). E se a minha palavra foi se esconder na Lua?

ALICIA — Mas por quê? Ela não era inútil!

BORGES — Sei lá, vai ver por engano. Burton uma vez me disse uma coisa interessante. Todas as palavras do mundo têm uma cópia. Nenhuma se perde.

ALICIA *(impaciente)* — Burton, de novo! Sempre Burton, Burton!

BORGES — Tenho uma dívida com ele, você sabe!

ALICIA — Só porque ele traduziu *As Mil e Uma Noites*?

BORGES — Foi ele que me fez descobrir a magia dos encantamentos, da imaginação, das princesas e dos gênios aprisionados em lâmpadas, dos tapetes voadores e dos labirintos. Da arte narrativa, do contar incessantemente. Eu era menino quando li os 17 volumes em inglês de *As Mil e Uma Noites* lá na biblioteca de meu pai. É o tradutor do *Kama Sutra*, de *Os Lusíadas*.

ALICIA — O homem que restaurou a sensualidade dos contos orientais, o erotismo. Acha que pode confiar nele? Eu não sei!

BORGES — É um homem que mexe com as palavras tanto quanto eu. E ele também é um místico! Aliás, é um membro da Via Mística, a que conduz ao Paraíso!

ALICIA *(irônica)* — Um dos teus ídolos! O aventureiro, o diplomata e o tradutor.

BORGES — Ele fala dezenas de línguas e dialetos. O homem se fez de xiita, de persa, derviche, peregrino rumo à Meca. Ele descobriu as nascentes do rio Nilo. Um senhor das rotas! Já fez de tudo e pode me ajudar. Vou chamá-lo!

ALICIA — Como?

BORGES — Pensando nele! Pensando intensamente, as pessoas vêm. *(Num repente.)* Ah! Podemos também chamar o Funes.

ALICIA — Funes? O memorioso?

BORGES — Ele tem uma memória ótima, sabe tudo. Ele também vai poder ajudar.

ALICIA — Mas ele é um personagem que você criou. No final do conto sabe muito bem o que aprontou com o pobre coitado! Aqui entre nós, acho que ele nunca se conformou com a idéia de terminar entrevado numa cama, paralítico e preso a uma cadeira de rodas... Não sei se ele gosta de você.

BORGES — Como não gosta? Os personagens são meus, foram criados por mim.

ALICIA — Funes numa cadeira de rodas... Pode demorar.

BORGES — Pensando intensamente as pessoas vêm! "E depois, o que é o tempo? O que é o espaço? Não passam de um caos de aparências" (Sartor Resartus, citação de Parmênides de Eléia, *OC* IV, p. 38). Tenho certeza que eles já estão a caminho, vou me preparar.

Sai, acompanhado pelo narrador que ficou à margem da conversação. Borges se retira. Antes de sair dá corda em um grande relógio de coluna que está num canto do palco. A luz se fecha sobre o mostrador por instantes. Ouve-se o plec-plec-plec do pêndulo.

ALICIA *(só)* — Nos últimos tempos, ele só pensa na palavra. Não dorme, vive ansioso e deprimido. Não sei o que fazer. Quem me dera que Burton realmente chegasse. *(Surge uma figura em contraluz.)* Quem está aí? *(O vulto se aproxima.)* Burton!

BURTON — A senhora quer dizer Sir Richard Francis Burton.

ALICIA *(atônita)* — O senhor veio! O senhor está mesmo aqui!

BURTON — Desculpe o meu aspecto. Normalmente prezo a elegância... Vim às pressas. Me chamaram por quê?

ALICIA — Borges... Ele perdeu uma palavra.

BURTON — E que falta faz a ele uma palavra? Ele tem tantas, todas. O poeta de *O Fervor de Buenos Aires* e de *A Rosa Profunda*. O autor de *O Aleph*. De *A Biblioteca de Babel*. Ele, o decifrador de desertos e o conjurador de espelhos! O autor que aprisionou os seres imaginários. Que falta pode fazer a ele uma simples palavra?

ALICIA — Era, para ele, a palavra das palavras. A palavra que contém todas as outras palavras. Palavra procurada há milênios. Sonho de todo poeta e de todo cabalista. A palavra que todos procuram e todos querem.

BURTON *(Intrigado e de repente excitado, interessado, estranhamente interessado)* — A palavra perdida... A palavra das palavras. Não pode ser! E como era a palavra?

ALICIA — Não contou nem a mim. Está desesperado. Ontem, me pediu para que eu o levasse para um hotel, queria ficar sozinho, fechado. O senhor sabe! Tenho medo do que ele possa fazer nesse estado.

BURTON — Mas palavras não se perdem. São esquecidas por algum motivo. Mesmo sendo a "palavra das palavras"... Desde quando Borges esquece?

ALICIA — Sei, sei, ele nunca esquece de nada. Desde que ficou cego, desenvolveu um sistema de memorizar, guardar tudo. Ele decora com facilidade, lembra das coisas em castelhano ou inglês, em celta, aprendeu até o islandês... Acho que nem mesmo a cegueira o tenha deixado tão desesperado quanto esse esquecimento. Desespero igual, só quando dona Leonor, a mãe, morreu aos 99 anos.

BURTON — Ele também chamou o Funes.

ALICIA — Como o senhor sabe?

BURTON — Funes, o Memorioso! Ele mesmo me contou que Borges pediu para que fosse à Biblioteca de Babel e trouxesse todos os personagens e autores que pudesse. Entre eles, vai escolher os personagens que viajarão com ele na busca da palavra.

ALICIA — Quantos vieram?

BURTON — Todos os que leu e admira. Agora mesmo estão acampando na Praça San Martín, aqui ao lado. Estão todos aí, uma multidão. São milhares. Simbad, o marujo, Robinson Crusoe, Jean Valjean, os Buddenbrook, Hans Castorp, Bartleby, Capitão Ahab, Huckleberry Finn, Tom Sawyer, Raskolnikoff... Gregório Samsa, Julien Sorel... Todos que se puder imaginar, ele leu tanto!

ALICIA — Mulheres?

BURTON — Uma.

ALICIA — Uma? Qual?

BURTON — Sherazade.

ALICIA — Sherazade. Não entendo. Como ela pode ajudar? Por que ela? Sempre ela! Aposto que foi a primeira a ser chamada.

BURTON — Está com ciúmes?

ALICIA — Imagine, era só o que faltava! Ciúmes de um personagem. Quem sou para ter ciúmes de Borges, sou uma simples assistente, me orgulho de, às vezes, ser sua copista.

BURTON — Está, sim, senhora! Está com ciúmes!

ALICIA — Por que o cinismo, agora? Deixe para lá! E quanto a você? Tem alguma idéia do que fazer?

BURTON — Claro!

ALICIA — O quê? *(Borges aparece e feliz chama pelo outro.)*

BORGES — Burton!

ALICIA — Richard Francis Burton. *(Olha para Burton com ar irônico.)* Aliás, Sir Richard Francis Burton.

BORGES — Que bom que você veio! Para procurarmos a minha palavra!

BURTON — As palavras, meu amigo, quando desaparecem, se vão por algum motivo. O que é o esquecimento?

BORGES — Eu sei, eu sei, mas seja qual for a razão, preciso encontrá-la. Não penso em outra coisa.

ALICIA — Ele está obcecado. *(Sai de cena.)*

BURTON — Não se preocupe. A palavra está lá. Seja ela qual for! Está lá!

BORGES — Lá? Onde?

BURTON — Na Biblioteca de Babel, claro!

BORGES — Na Biblioteca de Babel?

BURTON — Em Babel. Você criou, foi quem construiu, colocou tudo lá. Todas as palavras de todos os textos, todos os livros, tudo o que se escreveu no mundo.

BORGES — Não sei. Será? Mesmo as palavras perdidas?

BURTON — E por que não? Todas as perdidas e extraviadas, as arcaicas, as anacrônicas, as que perderam a validade, as não mais usadas, as que não servem para nada, as que estão sendo inventadas, as que serão inventadas. Todas elas!

BORGES — Talvez a minha fosse uma palavra impossível. Como saber?

BURTON — O único jeito é conferir. Você tem que ir até lá!

BORGES — Ir a Babel? Impossível!

BURTON — Babel, claro. E é possível. Nós todos que já estamos lá, podemos te levar.

BORGES — Mas como se vai até lá?

BURTON *(depois de uma pequena pausa)* — É uma viagem longa, é um outro universo. Cheio de códigos, você sabe.

BORGES — Eu estou pronto, preparado! Se tenho de ir, vamos logo, então!

BURTON — Calma, é necessário escolher a rota.

BORGES — Foi por isso que te chamei! Você é um descobridor de rotas, sempre foi um aventureiro! Mas se quiser podemos também chamar Marco Pólo, Ulisses, Jasão, Gulliver, Preste João, Bartolomeu de Gusmão, o Capitão Nemo, ou o Capitão Ahab. Ou Joseph Conrad. Poucos conhecem como ele as rotas para o insondável, para o coração das trevas...

BURTON — Calma, na Biblioteca, estão todos desconfiados. Perguntaram se a palavra foi esquecida ou retirada.

BORGES *(tem um impacto)* — Como retirada?

BURTON — Você precisa saber que vão tentar impedir que você chegue à Biblioteca. Vão tentar te desviar, atemorizar e até te destruir.

BORGES — Destruir? Como? Por quê?

BURTON — Só estou dizendo para tomar cuidado. Mas antes você tem de encontrar a porta. E para isso precisa passar pela Galeria dos Espelhos.

BORGES — A porta... Espelhos, sempre os espelhos... Estou cansado de espelhos e de labirintos, de tigres, e de duplos... Até a minha memória se transformou em um labirinto.

BURTON — Mas você tem que enfrentar os espelhos, passar por eles, é o primeiro passo. Tudo depende deles, há milênios. Eles dão a aprovação.

BORGES — Há uma maneira de se convencer um espelho?

BURTON — O espelho vê tudo. Só não vê o que está atrás de você. Cuidado, na Galeria existem espelhos que apenas nos mostram de costas. Estes, é preciso evitar.

BORGES — De costas?

BURTON — Diante deles, de frente, o que se vê são as suas costas. Se você aparecer nele de costas, não encontrará a saída. E a saída é o início da rota.

BORGES — Mas onde fica a Galeria dos Espelhos?

BURTON — Também não sei. Você não conhece ninguém que freqüente a Buenos Aires secreta?

BORGES — Não sei... Não sei! Quem pode ser? *(Subitamente dá quase um salto.)* Ah, espere, claro que conheço! O Xul Solar, um pintor meu amigo.

BURTON — Xul o quê? Nunca ouvi falar. Nome mais estranho!

BORGES — Um homem admirável. Um dia, depois do almoço, sem mais, criou 12 religiões. Ao mesmo tempo. E inventou 12 línguas.

BURTON — Ele não é louco, não?

BORGES — Não, nada disso. Xul sempre transitou por realidades desconhecidas. E é um profundo conhecedor da Buenos Aires secreta. Se existe alguém capaz de me ajudar, só pode ser ele.

BURTON — Então, vamos a ele!

BORGES — Você vem conosco, Alicia?

ALICIA *(ar triste, quase de dor)* — Não!

BORGES — Não? Como não?

ALICIA — Essa é uma viagem sua!

BORGES — Por que diz isso?

ALICIA — Sinto! *(Triste.)* Essa viagem é única.

BORGES — É uma despedida?

ALICIA — Não sei o que dizer. Não sei que momento é este! O que é uma despedida?

BORGES — "O momento mais intenso de uma relação" (*Diálogos sobre la Vida y la Muerte*, Liliana Heker, p. 37).

ALICIA — Uma vez você disse: "Quando nos despedimos estamos mais com uma pessoa do que costumamos estar normalmente". *(Ela se aproxima e eles se abraçam, ela o beija na face e se afasta.)*

BORGES *(para Burton)* — Vamos então?

BURTON — Ah! Espere, espere, espere. Antes que eu me esqueça, tem uma última coisa. Muito importante. Sem ela, não se entra.

BORGES *(preocupa-se)* — O que é?

BURTON — Na porta da Biblioteca, o Bibliotecário Imperfeito vai te fazer um pergunta.

BORGES — A velha história da esfinge... Pergunta? Que pergunta?

BURTON — É diferente para cada pessoa. Impossível prever. Você terá que preparar uma para ele. Uma pergunta sagaz, astuciosa. Meio pegada, entende?

BORGES — Não é tão difícil. Já sei. Já sei o que vou perguntar. Sei bem. Se ele responder terei resolvido uma velha questão. Mas chega de conversa! Vamos à Rua Laprida procurar o Xul Solar! Estou ansioso.

BURTON — As coisas não serão fáceis. Tem etapas que serão tormentos! Mas não precisa ter medo!

BORGES — "Sou um veterano do pânico... Sei que estou aterrorizado... Mas isso não importa..." (*Diálogos com Borges*, Osvaldo Ferrari).

BURTON — E lembre-se, quando você passar pela porta da Galeria, a realidade vai mudar completamente. O cotidiano vai deixar de existir.

BORGES — "A realidade, meu amigo, é um produto dos sonhos dos mortos" (*Borges Verbal*, Bravo & Paoletti, p. 159).

(Eles começam a caminhar.)

BURTON — Às vezes, muitas vezes, penso que mesmo cego você enxerga mais do que todos nós. *(Pequena pausa.)* Funes demora. Já devia estar aqui. Ele disse que chegaria antes de nós. É rápido em sua cadeira de rodas.

BORGES — Calle Laprida. É aqui que o Xul mora. *(Batem palmas, tocam uma campainha.)*

BURTON *(com voz empostada)* — XUUUUUUUULLLLLL!

BORGES — Ele não está.

BURTON — Não importa, aqui é o lugar.

BORGES — Como é que você pode saber?

BURTON — Ele não está mas os quadros dele estão todos aí! Ele deixou de propósito, tenho certeza. Você precisa entrar num deles e atravessar até encontrar a porta da Galeria. Seria mais fácil se você enxergasse, mas vou descrever para você.

BORGES — Nunca lamentei minha cegueira, tenho a minha visão interior.

BURTON — Eu sei!

BORGES — Cego, tenho os olhos do santo islâmico el-Khidir cujos olhos viam onde o bem começava e o mal terminava. "Comecei a perder a vista aos poucos e tive a sorte de saborear aos poucos a chegada da noite, e agora convivo com ela perfeitamente como um doente acostuma-se a viver com sua moléstica crônica, naturalmente" (*Borges no Brasil*, Jorge Schwartz, p. 505). E me lembro de cada detalhe dos quadros de Xul, conheço todos de cor. Mas como pode uma pessoa viva entrar em um quadro, me explica!

BURTON — Você sabe. Como foi que você iniciou esta viagem?

BORGES — Pelo pensamento?

BURTON — O melhor é que, quando você tiver entrado, vai voltar a enxergar.

BORGES — Mas por que tudo isso?

BURTON — Faz parte de sua prova. Você está no caminho certo, intuiu que era aqui. Depois de passar pelos quadros vai encontrar a porta da Galeria. Mas quando chegar lá, ficará cego de novo.

BORGES — Meu pai, que também era cego, recuperou a visão por um breve período. A visão dele como a minha foram devoradas pelas letras, milhões de letras. Seis gerações dominadas pela cegueira. *(Hesita.)* Nós já saímos do real?

BURTON — Aqui também é o real. Está pronto?

BORGES — Estou.

BURTON — Está vendo o quadro? É aquele que tem uma rampa pela direita. Suba a rampa, mas sem ouvir os apelos das pessoas que vão te chamar desesperadas. Isso! Agora, suba a última escada à direita, perto da figura de branco, que é a do bem. Vá direto em direção ao sol que aparece no alto da escada.

BORGES — Se eu olhar para o sol vou ficar cego de novo!

BURTON — Não! Pode olhar sem medo! Aí você está em outra realidade. Suba a escada.

BORGES — Subir uma escada nesta idade?

BURTON — Você não tem mais idade. Suba até poder penetrar no sol. Pelas escadas, sim! Evite o canteiro, é areia movediça. Agora, corra para a pirâmide à direita.

BORGES — Correr? Como correr?

BURTON — Estamos lutando contra o tempo. Você pode! Vai! Pronto! Agora, você está diante da porta que dá para um outro quadro. Já é a etapa final.

BORGES — Esse quadro não é um quadro qualquer. É o *Fiords*. *(Surge o quadro* Fiords, *de 1943.)* Veja quanta serenidade.

BURTON — Deixe-se invadir, deixe-se tomar por ela, vai precisar na jornada. A figura que está à esquerda te orientará quanto à passagem pela água. Ela vai te dar um barco. No final do quadro há um porto. É o início da Galeria dos Espelhos.

BORGES — Depois de atravessar a Galeria, como saber se fui aprovado?

BURTON — Se o espelho final mostrar sua imagem de frente multiplicada em uma janela, foi aprovado. Mas se você aparecer de costas é o não. Cuidado, os espelhos podem trapacear e te conduzirem a rotas erradas.

BORGES — Como saber?

BURTON — Não há como.

BORGES — Eu vou mesmo assim *(Hesita.)* E se eu escolher a rota falsa?

BURTON — Então será a prova de que você se perdeu. E pode deixar de existir!

BORGES — Portanto, estou em busca do quê?

BURTON — Te espero do outro lado. Te esperamos. Todos. Todos os que vieram de Babel. *(A luz cai e entra Funes com sua cadeira de rodas.)*

FUNES — Borges! Borges!

BORGES — Funes, é você?

FUNES — Por aqui! Vem! Agora, você tem de passar pelos espelhos.

BORGES — Eu não vejo. Para onde?

FUNES — Na direção de minha voz.

BORGES — Não vale a pena. Vá você, Funes! Volta para a Biblioteca e leva os outros com você. Não quero mais ir a lugar nenhum. Não quero enfrentar os espelhos.

FUNES — O que deu em você? Vem! Continua! Agora não tem mais jeito. Olhe à sua volta. O que você vê? Procure a saída.

BORGES — Há quantos anos não vejo nada? Está bem, vamos lá. Caminhemos. Continue falando, seguirei sua voz. Os espelhos ainda estão aí?

FUNES — Todos, centenas.

BORGES — Ouça, nunca te perguntei uma coisa. Se você me responder, disser sim, nem precisamos continuar. Por acaso não te falei da palavra?

FUNES — Da palavra? Que palavra? A que você perdeu? *(Faz breve pausa, provoca um suspense, como se soubesse.)* Não!

BORGES — Pensei que você poderia ter guardado em algum lugar, dentro de você... Foi só uma esperança. Uma breve esperança.

FUNES *(irado)* — Você colocou tanta coisa dentro de minha memória, que não cabe mais nada. Pensa que é fácil? Já imaginou o peso de um homem que só vive das memórias que carrega? E nenhuma delas é minha! O que fez das MINHAS memórias, "senhor" Borges? Quem sou eu, sem lembrança nenhuma? Por que me criou? *(Dá um berro.)* Não! Assim você está passando pelos espelhos errados. Ai! Chegou. Um pouco mais para o meio! Isso!

BORGES — Todos estão me mostrando de frente?

FUNES — Todos... não! Espere, pare! ... Espere aí!

BORGES *(se assusta)* — O que é que foi?

FUNES — Naquele ali você estava de costas. Volta para trás.

BORGES — De costas! Não é possível! Não, não posso estar de costas!

FUNES — Volta! Volta! O que estou dizendo! Volta. Pronto, caramba!!! Você me irrita! E sou obrigado a te acompanhar! Volta, depressa!

BORGES — O que foi agora?

FUNES — Sua imagem sumiu!

BORGES — Sumiu, como?

FUNES — Antes do último espelho você estava de costas. Estava, sim! Foi a última vez que te vi e agora você sumiu.

BORGES — Não entendo o que aconteceu. Se apareci de costas significa ter de voltar para casa e fracassar na busca de minha palavra? Acabar tudo!

FUNES — Voltar como se você não está mais aqui? Nem sua imagem, nem você. Não está em parte alguma. Será que vocês não ficaram dentro de um dos espelhos?

BORGES *(a luz cai e ele diz)* — "Sempre tive medo dos espelhos. Medo de que minha imagem neles fizesse coisas que eu não faria" (*Diálogos Sobre la Vida y la Muerte*).

FUNES — Pronto, encontrei! *(A luz volta ao normal.)* Agora sim!

BORGES — Me encontrou? Que alívio! Onde é que eu estava?

FUNES — Desfocado. Eu tinha perdido a sintonia do espelho. Já está tudo bem. Agora só mais uns passos... Mais dois espelhos... Assim, vá em frente... Acabou...

BORGES — Acabou. E... ? E...? Diga logo, fui aprovado?

FUNES *(irritado)* — Foi! Foi aprovado! Passou! Agora, se acalme!

BORGES — Que alívio! Passei.

FUNES — A rota está à sua frente. E ali estão todos esperando, teus amigos, teus personagens, os personagens e autores que ama. Todos os vocês me pediu para chamar.

BORGES — Mas eu já sei com quem eu quero ir. Atravessei esses espelhos pensando neles. Com você...

FUNES — Eu? Mas eu não quero ir. Não quero voltar a Babel. Não quero mais viver lá.

BORGES *(indiferente, não ouve)* — Com você, com Burton, Sherazade. Não preciso de mais ninguém. *(Sherazade entra em cena, assim que ouve seu nome.)*

SHERAZADE — Sabia que você me escolheria. *(Sensual.)* É a nossa primeira noite. Mais de mil virão, até você encontrar a Biblioteca. Nenhuma noite se repetirá e se alguma repetir, tudo começa de novo, a partir da primeira, até completar mil e uma.

BORGES — Quer dizer que essa noite pode não acabar nunca?

SHERAZADE — Pode.

BORGES — "O universo desta noite contém a vastidão/ do esquecimento e a precisão da febre" (Insônia, *OC* II, p. 259). Mas... a noite nunca acabar?

SHERAZADE *(maliciosa)* — E você não acha bom? *(Agora, séria.)* Você vai atravessar o deserto. Mas o deserto pode se tornar pântano, virar mar, montanha, ruínas. Babel monta defesas e você tem de acreditar muito na sua palavra. Na Biblioteca se tem medo que você não a utilize bem.

BORGES — Medo?

SHERAZADE — As palavras ficam assustadas quando caem em mãos incompetentes. Gostam de ser bem usadas, senão perdem a força, podem ser odiadas ou morrer. Prepare-se para grandes obstáculos!

BORGES — Obstáculos? Que obstáculos?

SHERAZADE — Muitos. Porque as palavras quando se defendem usam tudo, criam resistências, inventam artimanhas, truques, seres, exércitos, que virão de todas as partes de todos os livros, de todos os textos de todo o mundo.

BORGES — Tudo isso por causa de um esquecimento?

SHERAZADE — Ter esquecido pode significar que a palavra foi capturada como proteção. E se essa palavra for maior? Muito maior do que você possa imaginar?

BORGES — Eu sei, ela esteve comigo.

SHERAZADE — E se é uma palavra à qual os homens comuns, mortais não podem ter acesso? Para ser sincera, acho que você não devia continuar com essa viagem. O deserto não passa de um labirinto, um jogo de espelhos, você vai se perder. Escuta o que estou te dizendo!

BORGES — "Ao errar pelas lentas galerias/ Sinto às vezes com vago horror sagrado/ Que sou o outro, o morto, habituado/ Aos mesmos passos e nos mesmos dias" (Poema dos Dons, *OC* II, p. 208).

SHERAZADE — Não vá nessa viagem.

BORGES — Não posso desistir, essa é a viagem mais importante de minha vida.

SHERAZADE — E se for a última?

BORGES — Isso não me assusta.

SHERAZADE — Deixar de ser, morrer. Não te assusta?

BORGES — "A esperança de deixar de ser... A morte se parece tanto com o sonho" (*Diálogos sobre la Vida y la Muerte*, Liliana Heker).

SHERAZADE — Mas a vida...

BORGES — Eu sei, Sherazade, "a vida... acredito que por mais infeliz que alguém seja... e todos somos, às vezes, deve-se agradecer por viver... Mas o sonho de existir para sempre?..." (*Diálogos sobre la Vida y la Muerte*, Liliana Heker). Nada se compara a isso!

SHERAZADE — Será? Nem sabe o que vai enfrentar. E não vai encontrar o que procura!

BORGES — Como saber sem tentar? Sempre me aventurei no desconhecido.

SHERAZADE — O que você busca é impossível. É um caminho cheio de armadilhas, segredos. E seres imaginários contra você!

BORGES — Como você pode saber?

SHERAZADE — Seres imaginários como eu sabem tudo. Não vá, eu te peço!

BORGES — Você não é um ser imaginário.

SHERAZADE — Sou e você também *(ela dança)*, embora ainda

não saiba disso! Então, você está mesmo decidido? *(Ele confirma em seu silêncio.)* Podemos partir então!

BORGES — Você me deixa preocupado. Acho que ainda tenho uns preparativos a fazer. Os últimos. Pequenas coisas de que posso precisar.

SHERAZADE — Como o quê?

BORGES — Como ampulhetas, clepsidras, talismãs, mapas, pedras, ímãs, o anel que gera nove anéis, sinetes, espelhos duplicadores, espelhos abomináveis, espelhos deformadores.

BURTON — Quando viajo levo o normal. Mudas de roupa, um cantil de água, um lençol, remédios em frascos e moedinhas de ouro. De mágico, só algumas mandalas!

SHERAZADE — E o guarda-sol amarelo, um porta-canetas e o tinteiro. Ah! E o punhal que você não larga? E o rosário. Não vem, não, que você não fica atrás!

BORGES — Um rosário?

BURTON — O rosário é pesado e eu posso usar como arma de defesa ou de ataque, você sabe bem. Levarei também pencas brancas de mirto e flores rosadas de oleandro com perfume de amêndoa.

BORGES — Ah, e vou levar também alguns caleidoscópios e o selo de Salomão e relógios de sol e relógios de noite, amuletos, encantamentos, filtros, cabalas, amavios. Pronto!

BURTON — Não era bom também levar um tapete persa para servir de mesa, oratório e cadeira (*Sir Richard Francis Burton*, Edward Rice, p. 198)? Que tal?

SHERAZADE — Vocês dois estão loucos. Como carregar tudo isso? *(Borges apanha um punhado de terra e joga no chão, calca com o pé direito.)* E isso, agora? O que significa?

BURTON — Silêncio! São pequenas conjuras dos celtas. "Coisas antiqüíssimas para nos proteger dos inimigos, das dores, dos mal-estares, das emboscadas e das traições" (*Borges Profesor*, Arias e Martin Hadis (orgs.), p. 366-367).

Borges atira mais terra sob os pés, calca com força.

BORGES — Aqui se inicia a minha jornada.

Adeus petrificadas datas letais
rio da Prata vagaroso e barrento
adeus Calle Tucumán, 840, rua de meus avós
adeus cisternas e pátios,
moinho vermelho do jardim,
espelhos triplicados do meu quarto na infância,
Palermo, miserável periferia portenha
Adeus leccionários que minha avó Fanny lia para mim,
arrabales, compadritos e suas brigas de faca
políticos sorridentes, mentirosos, subornadores
verões de Adrogué, minha infância
perdido no Jardim Zoológico com sua confeitaria e seus tigres amarelos
adeus Quinta das Delícias
Café La Perla, na Praça Onze
Biblioteca Municipal Miguel Cané
adeus noites que cheiram a mate curado
cidade dos magos, dos realejos
das Cinco Esquinas,
do mate compartilhado, dos criollos
à Biblioteca Nacional, às ameaças
adeus terrenos baldios alagadiços, Belgrano
hospital Rivadavia, o jardim zoológico
adeus pracinhas com frescor de pátios
secretas cisternas
odor de jasmim e de madressilvas
horas em que a luz tem a finura da areia.

(Ele se abaixa e lava as mãos com a areia. Ergue-se e deixa a areia escorrer pelas mãos como se fosse uma ampulheta.)

SHERAZADE — O que você está fazendo?

BORGES — Modificando o deserto (O Deserto, *OC* III, p. 500). A cada movimento de minhas mãos, as areias deixam de estar como estavam, mudam de posição. *(Retoma a despedida.)*

Adeus alpendres entorpecidos de sombra
vis lupanares
arrabaldes que são o reflexo de nosso tédio
estéreis muros silenciosos, ruas taciturnas
esfinge de um livro que eu tinha medo de abrir
Calle do Armazém Rosado
adeus simulacro dos espelhos
pintados talismãs de papelão
adeus imarcescíveis e cegas rosas
Adeus Buenos Aires
jardim calcado num espelho
eu espectador de tua formosura
adeus Hotel Las Delicias, onde no quarto 19,
me preparei para morrer e não morri
(Citações de Fervor de Buenos Aires, *OC*, p. 9-51).

BURTON *(impaciente)* — Estamos perdendo tempo, temos de ser práticos.

FUNES — Tempo? O tempo cessou, os relógios estão parados.

(No céu, astros e estrelas e o ponto luminoso, o Aleph. Borges olha para ele.)

BORGES — Ali está ele, o Aleph.

(Todos olham, perplexos para onde ele aponta o dedo. Olham, não vêem o Aleph.)

TODOS — O Aleph? Onde? O que está vendo?

BORGES *(percebendo que só ele pode ver o Aleph)* — Ali, é o ponto no universo que contém todas as circunstâncias do mundo. Dentro dele está tudo.

SHERAZADE — Como a palavra que você criou continha todas as palavras?

BORGES *(olha para ela com ternura)* — Sim...

(Súbito, parece voltar a realidade que está vivendo, olha para Funes.) Preciso de você. É a única pessoa do mundo que sabe as horas com exatidão, sem ter relógio, sem nunca ter olhado para um.

(A luz muda indicando que amanhece. Eles caminham sob um luar ainda forte. Ouve-se um ruído forte, como o tropel de centenas de cavalos, gritos de pessoas incitando à luta, bater de ferro contra ferro.)

BORGES — Estão ouvindo? Aí vêm eles, galopando ao nosso encontro. Avançando como uma muralha móvel.

FUNES — Do que você está falando?

BORGES — Do exército de Babel.

FUNES — Exército? Como é que você pode ver um exército?

BORGES — Estão ali, ameaçadores. Exterminadores. Delinqüentes e compadritos, rufiões, facínoras, saqueadores, esmoleres, vagabundos, eunucos, abomináveis, chinas, cães farejadores, boateiros, mentirosos, vadios do bairro, soldados, trapaceiros, rapazes do carteado, estúpidos, arrivistas, malevos, blefadores, ignorantes, cruéis, traidores, ameaçadores, impostores e degoladores. Todos eles vêm vindo. "A noite dos vagos pântanos me espreita e me demora. Escuto os cascos de minha quente morte que me busca com ginetes, com belfos e com lanças" (Poema Conjetural, *OC* II, p. 268).

BURTON — Se for verdade, seremos massacrados!

BORGES — Não! Meu avô materno, Isidoro Acevedo, vem nos salvar, estou vendo, ele se aproxima pela retaguarda. Vivendo um novo dia dentro do seu último sonho.

FUNES — Está parecendo loucura. Não estou vendo nada! Onde está esse exército, o avô, essa coisa toda?

SHERAZADE — Você parece desconhecer Borges. Para que você tem de ver? Se ele está vendo é o que basta.

FUNES — Mas então não é melhor ir andando? Vamos logo, de uma vez!

BORGES — "O universo desta noite contém a vastidão do esquecimento e a precisão da febre" (Insônia, *OC* II, p. 259).

(Há uma passagem de tempo indicada pela luz.)

FUNES — Já andamos um bocado!

BURTON — Agora, é você que está delirando, não saímos do lugar. Estamos parados.

BORGES — Não, Burton, ele tem razão. Você não sente o movimento? Escuta. Agora, são as serpentes sibilando, bem à nossa frente.

BURTON — Só se eu estiver surdo, não estou ouvindo nada.

SHERAZADE — As coisas estão se modificando rapidamente para que a gente não prossiga até Babel. Eles já estão em ação.

BORGES *(falando para ele mesmo)* — E se a palavra nunca existiu? E se foi um sonho? E se a palavra não passou de um desejo tão forte e intenso, que passei a acreditar? E se estamos vagando dentro de um conto, um poema meu?

(Interrompe a divagação, volta ao real, percebe Sherazade diante dele, dançando a milonga como se dançasse a dança dos sete véus.)

SHERAZADE — Desse jeito, sabe quando chegaremos? Nunca! Se é que vamos chegar! Burton tem razão, ainda nem saímos do lugar.

BORGES — Quantas vezes preciso explicar que não estamos parados?

SHERAZADE — Será que nos perdemos? Estão ouvindo o ruído de água abaixo de nós e o rugido dos tigres?

BORGES — "Tyger, tyger, burning bright in the forests of the night", dizia Blake.

BURTON — Não nos perdemos, a rota é essa.

BORGES — Se a rota é mesmo essa, ou achamos a saída que conduz a Babel ou vamos sair no extremo oposto, de novo em Buenos Aires, no Jardim das Veredas que se Bifurcam.

FUNES — Que escuridão!

SHERAZADE — Se ao menos a lua não estivesse escondida pelas nuvens.

BORGES — Vocês não estão mesmo ouvindo o sibilar das serpentes?

FUNES — Não! Não ouvimos nada. São coisas de sua cabeça!

(Rugidos de tigres que rondam à distância.)

BORGES — É um pântano! Agora, precisamos cruzar esse pântano.

BURTON — Não é pântano.

BORGES — Claro que é um pântano, não está vendo as águas escuras?

BURTON — Não são águas escuras. São espelhos sem face. Espelhos cegos.

BORGES — Espelhos cegos?

FUNES — Espelhos feitos para os cegos olharem.

BORGES — Será que tomamos o caminho errado? Podíamos ter ido por outro, Sherazade?

SHERAZADE — Por qualquer caminho, eles vão tentar impedir que você chegue lá.

BORGES — Mas por quê? Sou uma ameaça, por acaso?

SHERAZADE — Eu já te disse. A palavra que você criou não podia ser conhecida. Cada vez mais tenho certeza disso! Em Babel, quando descobriram, houve um grande alvoroço, confusão danada. Todos ficaram excitados e confusos, aos gritos e indignados. E perguntavam: Como foi que a palavra saiu? Quem a perdeu para Borges? Babel parou à procura de uma solução. Mas tudo o que conseguiram fazer foi eliminar a palavra de sua memória.

BORGES — Então, foram eles? Não tinham o direito de me confiscar a palavra. Ela não me chegou pronta, lutei por ela! Quando ela surgiu, clara e precisa, pensei: essa palavra é anterior à criação da linguagem, anterior ao surgimento da palavra. Uma palavra sem etimologias, sem raízes, vinda da eternidade, de um tempo em que o tempo não existia. Formosa como uma nota musical. Perfeita, a palavra das palavras. *(Sons de tigres ao longe.)* Estão ouvindo? Os tigres cheiram mal. Sempre tentaram me deter. Nos sonhos, sempre me atacaram. Onde estarão?

SHERAZADE — Não ouço tigre nenhum.

FUNES — Nem eu.

BURTON — De que tigres está falando?

BORGES — "Tyger! Tyger! What immortal hand or eye could frame thy fearful symmetry?" (William Blake, *Tiger, tiger.*) Preciso me esconder. Rápido.

(Ruído de uma grande ventania, Borges desaparece no meio dela.)

SHERAZADE — Borges, espere... Onde você pensa que vai? *(Ventania acalma.)* Agora, ele sumiu.

BURTON — Onde ele pode ter se metido? Sozinho no deserto, ele não vai conseguir.

SHERAZADE — Funes estava com ele.

BURTON — Esta é uma parte difícil da travessia, a do labirinto em linha reta.

SHERAZADE — Ah! Entendi, ele odeia labirintos em linha reta. Por isso preferiu não atravessar.

BURTON — Mas e se não encontrarmos mais com ele?

SHERAZADE — Aí, acabou a viagem, acabou tudo!

BURTON — Sherazade, repare onde estamos pisando. É um terreno movediço e incerto. É o Recanto das Perguntas Não Respondidas. Não estamos caminhando sobre a areia e sim sobre milhões de perguntas feitas desde o início da humanidade.

SHERAZADE — Pensei que as perguntas sem respostas estivessem todas em Babel.

BURTON — Estão! Assim como as respostas sem perguntas. Estas aqui devem ter sido perdidas pelo caminho. São bilhões.

SHERAZADE — Por falar nisso, aqui era o lugar ideal para Borges apanhar a pergunta irrespondível, a fim de apresentar ao Bibliotecário Imperfeito, na porta de Babel.

BURTON — Perguntas, perguntas! Quantas perguntas perdidas, à toa. Veja esta! O que é o Anfisbena?

SHERAZADE — Anfis... quê? E eu sei?

BURTON — E esta outra: quais são os animais esféricos?

SHERAZADE — Deixe-me ver... pensar... animais redondos... Os porcos?

BURTON — E uma terceira, magnífica! Qual é o peixe que se mantém sobre uma água sem fundo, sendo que sobre o peixe está um touro, em cima do touro há uma montanha de rubi e sobre a montanha há um anjo, e sobre o anjo seis infernos, e sobre os infernos a terra, e sobre a terra os setes céus? (*O Livro dos Seres Imaginários*, p. 21, 24 e 46).

SHERAZADE — Chega, Burton, por favor! Assim acaba dando um nó em minha cabeça. Quando vamos chegar ao fim do labirinto? É isso que interessa! Nós já estamos viajando há 77 dias e o Borges desapareceu há mais de 14.

BURTON — Como é que você consegue contar o tempo?

SHERAZADE — Prática, meu amigo! Esqueceu como foi que aprendi a contar as noites?

BURTON — Poderíamos contar juntos as noites aqui.

SHERAZADE *(lisonjeada)* — Você acha? *(A luz muda.)* O que foi isso, agora?

BURTON — Penetramos na Planície das Recordações que Trazem Recordações das Recordações.

SHERAZADE *(olha para cima)* — Mas o que é aquilo? Gente de cabeça para baixo voando sobre nós.

BURTON — Isso não é nada, comparado ao Catoblepas, o búfalo negro com uma cabeça de porco que vai até o chão e o devorador de sombras, um crocodilo, leão e hipopótamo ao mesmo tempo. Quem vê os olhos dele morre. Milênios atrás, os povos do mundo dos espelhos tentaram criar em cativeiro os devoradores de sombras para aumentar o poder de seus exércitos.

SHERAZADE — Nem me fale!

BURTON — O medo que o Borges tem desses dois é ainda maior do que ele tem dos tigres. *(Preocupado.)* O que terá acontecido com ele? Sem Borges, tudo perde o sentido.

A luz muda para outra área do palco onde estão Borges e Funes.

FUNES — Estou enganado ou nos perdemos? Como encontrar o caminho de volta? Você cego e eu sem saber onde estamos? Olhe só aonde você nos trouxe! Como sair desta?

BORGES — Seguindo o barulho das águas que murmuram debaixo da areia.

FUNES — Mas não estou ouvindo barulho de água nenhuma e nem tenho a memória desse lugar dentro de mim. E os outros? Onde é que se meteram?

BORGES — Na Planície das Perguntas Não Respondidas.

FUNES — O desconhecido é inesgotável, Borges, você tem razão!

BORGES — Mas para chegar onde os outros estão, teremos de dar uma volta imensa.

FUNES — Para mim, parece que é só isso o que estamos fazendo. Dando voltas e mais voltas, andando em círculos nesse deserto. Só!

BORGES — Esta rota vai dar direto na Cidade dos Imortais.

FUNES — Andamos sempre de noite, agora é dia. E estamos sós, os dois!

BORGES — Tenho pensado muito em Alicia, lá em Buenos Aires. Ela estava preocupada com essa viagem. Foi a primeira vez que ela não quis vir junto. Seria algum tipo de premonição? A aflição me atinge: deveria tê-la trazido? Está muito quente. Transpiro, me acabo! Não sei se devemos continuar a andar durante o dia.

FUNES — Olha que engraçado! As dunas amarelas mudaram de cor, tornaram-se marrons de repente. Agora, são vermelhas. Mas o que são aquelas construções estranhas, ali ao longe?

BORGES — Devem ser as ruínas circulares. *(Ouvem o trote de um animal.)*

FUNES — E aquele bicho estranho? Que é "maior que um asno e menor que uma mula"? *(O Livro dos Seres Imaginários.)*

BORGES — Não pode ser! Você só pode estar falando do Burak, a montaria celeste, a que teria levado o profeta aos céus. Acho que esta rota deve dar direto na Cidade dos Imortais. Eu encontrei a cidade, uma vez, por acaso. Eu estava perdido, como agora, e entrei "por um caos de sórdidas galerias até que cheguei a uma vasta câmara circular no porão. Havia nove portas e oito davam para um labirinto que desembocava na mesma câmara; a nona (através de outro labirinto) dava para uma segunda câmara circular, igual à primeira. Ignoro o total de câmaras; minha desventura e minha ansiedade as multiplicaram. O silêncio era hostil e quase perfeito; outro rumo não havia nessas profundas redes de pedra além de um vento subterrâneo, cuja causa não descobri" (O Imortal, em *O Aleph*, *OC* I, p. 597).

FUNES — Percorreu-a inteira?

BORGES — A Cidade dos Imortais me atemorizou e repugnou. Aquilo existir era tão horrível que a sua mera existência, embora escondida no deserto, contaminava o passado e o futuro e, de algum modo, comprometia os astros. Claro, porque enquanto perdurar a imortalidade, "ninguém no mundo poderá ser valoroso ou feliz" (O Imortal, em *O Aleph*, *OC* I, p. 597). Estou cansado, agora, muito cansado. Será que viver assim vale a pena? Estou tendo um pressentimento estranho.

(A luz ilumina Burton e Sherazade do outro lado.)

SHERAZADE — Olha lá! Borges. Do outro lado! *(Grita.)* Borges, Borges! Aqui. Por aqui!

FUNES — Alguém está te chamando. Sim, ouço o teu nome! Olha lá, eles estão esperando pela gente! É só cruzar essa passagem.

(Entram e pisam na borda de um terreno branco. Ouvem um grito e um homem se levanta. É o Cartógrafo Perfeito. A cena foi inspirada a partir do texto "Do Rigor da Ciência", atribuído a Suárez Miranda, Viajes de Varones Prudentes, *livro quarto, cap. XLV, Lérida, 1658.* Obras Completas *em português, volume II, p. 247.)*

CARTÓGRAFO — O que estão fazendo aqui?

BORGES — Precisamos atravessar.

CARTÓGRAFO — Por aqui? De jeito nenhum! Assim, vocês vão destruir todo nosso trabalho.

FUNES — Mas precisamos encontrar nossos amigos, ali, do outro lado.

BORGES — Destruir que trabalho? Só queremos passar. Que trabalho é esse? Não estou vendo nenhum trabalhador.

CARTÓGRAFO — Você ia pisar num, agorinha mesmo. Somos os Cartógrafos Perfeitos. Estamos desenhando o mapa mais perfeito da Terra. Esse chão branco que você está vendo são os Cartógrafos, todos vestidos de branco, deitados lado a lado, cada um sobre o pedaço de terreno que lhe cabe cartografar.

BORGES — E se andarmos com cuidado entre um homem e outro? Que tal?

CARTÓGRAFO — Impossível. Cada um cuida de um pequeno trecho de 10 centímetros por 10. Não há mesmo espaço. Cada trecho se liga ao do sujeito ao lado. De maneira que quando um termina a cartografia e a entrega, o trabalho dele é colocado junto ao outro, para a montagem total. Não é nada fácil!

FUNES — Como num quebra-cabeças?

CARTÓGRAFO — Digamos que sim...

BORGES — Só que os que vêm atrás não têm que passar por cima dos outros, do mesmo jeito?

CARTÓGRAFO — É! Esse é um problema que nos preocupa e que está sendo analisado há séculos.

BORGES — Séculos? Há quanto tempo estão aqui?

CARTÓGRAFO — Mais de três mil anos.

FUNES — Vai gostar de trabalhar assim na...

BORGES — Funes, não!

CARTÓGRAFO — Às vezes, nem acabamos de montar um trecho e alguém constrói um castelo, uma muralha, ou mesmo uma ponte... Tínhamos pronta a China inteira, quando a muralha foi feita. Perdemos todo o esforço.

FUNES — E se uma formiga passa pelo trecho, depois que ele foi registrado? E se um coelho surge num buraco? E se alguém espirra e a poeira levanta?

BORGES — E quando venta?

CARTÓGRAFO — Tem de ser refeito.

BORGES — Essa é a dificuldade para se obter a perfeição?

CARTÓGRAFO — De dois mil anos para cá temos discutido se a perfeição existe.

FUNES *(irônico)* — Existe, claro que existe.

BORGES — Sinto muito, mas temos de atravessar.

CARTÓGRAFO — Agora, é impossível, já disse. Vão ter de esperar.

BORGES — Quanto tempo?

CARTÓGRAFO — No mínimo mil anos.

FUNES — Está brincando com a gente? *(Para o Cartógrafo.)* Me diz, esse pessoal nunca tem um minuto de folga?

BORGES — Não podemos ficar aqui parados esperando mil anos!

CARTÓGRAFO — Todos podem.

BORGES — Andamos tanto para nada?

FUNES — Tenho uma idéia. Nós temos aqui um tapete persa. Se o colocarmos sobre os trabalhadores, eles não vão sentir nosso peso.

CARTÓGRAFO — Imagine! Vocês são muito pesados!

FUNES — O quê? Não peso quase nada, sou apenas memória. E o tapete é mágico, ele voa um pouco...

CARTÓGRAFO — Não sei, não!

BORGES — Não vou pisar nas pessoas.

CARTÓGRAFO — Está bem! Podem passar então!

BORGES *(para Funes)* — Não posso sair pisando nas pessoas.

FUNES — Pode sim, como não? Você quer encontrar a palavra? Pise com delicadeza, eles não vão sentir nada. *(Começam a andar sobre o pano branco. A cada passo se ouve um débil grito. Ou um grito forte.)* Desculpe meu caro, vai ser rápido, já vai acabar. Pronto, pronto. Passamos! *(Chegam do outro lado.)*

SHERAZADE — Onde é que vocês se meteram?

FUNES — O importante é que estamos juntos, de novo.

BORGES — Fico inquieto de vez em quando. Tem sentido essa jornada?

BURTON — Quer desistir? Cansou-se das viagens? Desista.

BORGES — Não sei mais onde estou. O que é este lugar?

(Ouve-se um gemido dolorido. Um gemido que congela a pessoa. Voz de mulher que sofre uma dor agoniante.)

FUNES — Acha que machucamos? Alguma Cartógrafa! *(O gemido prossegue.)* Que exagero, não podemos ter machucado tanto.

BORGES — Não, esse gemido não é de um Cartógrafo.

SHERAZADE — Outra vez. É insuportável. Fico arrepiada cada vez que esse animal grita.

BORGES — Não é um grito. A Banshee não é um animal.

FUNES — Banshee? O que vem a ser a Banshee?

BORGES — Não é animal. É um som! Já disse, um som.

FUNES — E de onde vem? Ou será outra coisa da sua cabeça?

BORGES — Do nada.

SHERAZADE — Como do nada? Nenhum som pode vir do nada.

BORGES *(mais baixo)* — É um espírito.

SHERAZADE — Espírito do quê?

FUNES — Algum espírito sofredor?

BORGES — Não, um espírito cheio de angústia.

SHERAZADE — É insuportável. Esses gemidos destroem a gente.

BURTON — São eles, de Babel, jogando duro, ameaçando. Sabem que falta pouco. Claro, estão anunciando nossa chegada.

(A Banshee uiva uma vez mais, prolongadamente, todos se encolhem. De repente, todos têm uma sensação de que a terra tremeu.)

SHERAZADE — O que foi é isso? Sentiram? Tudo está sacudindo.

FUNES — Parece um leve terremoto.

SHERAZADE — Nessa parte do deserto? Vivi a vida inteira no deserto e nunca soube de um terremoto por aqui. Nem nas histórias que se contam e que contei.

BORGES — O que você não sabe é que este deserto foi criado pela ilusão dos espelhos. O deserto que estamos atravessando fica longe, muito longe. Só parece que está aqui por causa dos reflexos dos espelhos no mar. Não estamos no deserto. Estamos no mar.

(Ouve-se uma pancada forte, assustadora, depois vem o ruído sonoro de vidros sendo estilhaçados.)

BORGES — "Noite após noite o mesmo pesadelo/ noite após noite o austero labirinto" (Eclesiastes, 1,9, *OC* III, p. 338). São os povos guerreiros do mundo dos espelhos! Temíveis! Temos inimigos pelos dois lados, agora. Romperam duas barreiras. Dessa vez não há como escapar. Estamos cercados. Eles querem que a gente bata em retirada. Na Biblioteca de Babel há uma Galeria de Espelhos que ouvem tudo.

SHERAZADE *(olhando para Borges, interrogativa)* — E se vierem?

BORGES — Assim que atravessam os espelhos, desaparecem. São reflexos de guerreiros derrotados.

FUNES — Esses povos foram derrotados quando, onde?

BORGES — Foi há muito! Muito tempo mesmo! Invadiram a terra e foram derrotados pelo Imperador Amarelo. Tiveram de fugir, voltando aos espelhos. Só que transformados em reflexos para sempre.

FUNES — Como o Imperador combateu os reflexos?

BORGES — Com as artes dos mágicos. Naquele tempo, os povos dos espelhos ainda não eram reflexos, eram normais. Nosso mundo e o dos espelhos viviam em harmonia, eles vinham aqui, nós entrávamos lá. Para entendê-los levavam-se espelhos especiais que ouviam as palavras e as invertiam.

FUNES — Espelhos que ouviam?

BURTON — Como eu disse, agora, na Biblioteca de Babel há uma Galeria de Espelhos que ouvem.

BORGES — Os espelhos que ouviam eram uma das maiores artes mágicas do Imperador Amarelo. Os povos do mundo dos espelhos. Não sabia que nossa rota estava no caminho deles.

BURTON — Ninguém conhece o caminho deles. O que se sabe, na Biblioteca, é que os povos vêm empurrando sutilmente barreiras, aumentando os limites do mundo deles. O deserto foi reduzido, mas ninguém percebe, porque os espelhos refletem um espaço infinito. E falso.

SHERAZADE — Pois lá onde estou, no Hexágono Carmesim, se diz que eles avançaram as fronteiras em toda a terra. Mais da metade do mundo hoje é um mundo refletido, sem que as pessoas saibam.

FUNES — É melhor nos apressarmos, nos afastarmos. E se os líderes do mundo dos espelhos descobriram finalmente a forma de penetrar em nosso mundo?

BORGES — Os espelhos me perturbam. Desde a minha infância.

SHERAZADE — Por quê?

BORGES — "Um de meus constantes rogos a Deus e ao meu anjo da guarda era o de não sonhar com espelhos. Sei que os vigiava com inquietude. Algumas vezes temi que começassem a divergir da realidade; outras, ver neles meu rosto desfigurado por adversidades estranhas" (Os Espelhos Velados, *OC* II, p. 182).

SHERAZADE *(dançando)* — Sempre adorei espelhos, gosto de me ver neles, dançar em frente. O sultão me pedia para dançar sem véus...

BURTON *(malicioso, excitado)* — ... Sem véus, nua?

SHERAZADE *(querendo provocá-lo)* — Nua, diante de mil e um espelhos. Montei um labirinto infinito, de maneira que aparecia uma multidão de Sherazades nuas.

BORGES — Infinito... Cuidado com essa palavra.

BURTON *(impaciente)* — Essa história não foi narrada em livro algum.

SHERAZADE — O sultão pensava que todas as Sherazades pertenciam a ele. Jamais alguém tinha tido um harém daquele tamanho. Pobre coitado. Não via que era um harém de reflexos. Uma só Sherazade era verdadeira, eu. Me quis muito, aquele homem. Uma noite, a de número 2.066, ele correu entre os espelhos para me violentar. Não suportava mais, gritava: "Quando esse suplício vai terminar?" E não me encontrava. Suas mãos atravessavam meus reflexos. Eu ria, dançava, provocava e ele urrava, espumava de ódio e desejo e chamava os guardas. Também os guardas se multiplicavam, se confundiam, se agarravam uns aos outros. Todos foram enlouquecendo sem poder sair do labirinto. Fugi. Deixei minhas imagens refletidas com eles!

FUNES — E se as tuas imagens ficaram do lado de lá, no mundo dos espelhos e agora procuram sair? E se a verdadeira ficou lá e a que está aqui é o reflexo?

SHERAZADE — Será que eu sou um reflexo?

BORGES — Os reflexos ao atravessarem os espelhos desaparecem. Fica a imagem verdadeira. Você, se for verdadeira, vai permanecer.

SHERAZADE — Ah... não entendi, mas prefiro que não venham. Se houver confusão, como saber quem sou eu e quem são os reflexos?

BURTON *(desinteressado da conversa, interrompe)* — A noite de número 2.066? Que noite foi essa? As noites terminaram na 1.001. Onde estão esses relatos?

SHERAZADE — Os relatos não sei. Nas cabeças, sendo inventados, contados. O que sei é que as noites continuaram. Não terminam nunca. São milhares, serão milhões, enquanto existirem histórias para serem contadas.

BURTON — Não há registro na Biblioteca...

SHERAZADE — Por que nossa vida teria de estar toda lá? As coisas insondáveis não são visíveis nem podem ser capturadas.

(Novamente barulhos ensurdecedores de pancadas e vidros estilhaçados. Parecem mais próximos. Ouvem-se os tigres rugindo cada vez mais forte. Gritos humanos. Luz cai de novo, acende. Um telão espelhado desce, refletindo a platéia.)

BORGES — Vocês são o reflexo ou o mundo real? São pessoas ou apenas imagens que os espelhos de cada um refletiram. E se estão em casa e não aqui? E se este é o lado verdadeiro e a platéia apenas o reflexo? E se ao apagarmos as luzes vocês desaparecerem?

(Desaparece o telão. Eles estão diante da Biblioteca de Babel.)

BURTON — Pronto, Borges. Chegamos. Estamos em Babel!

SHERAZADE — A Biblioteca de Babel? Quer dizer que estava por trás do mundo dos espelhos?

FUNES — Não é uma miragem? Desertos produzem miragens! Ou um sonho?

BORGES — "É ou não é/ o sonho que esqueci/ antes da aurora?" (Dezessete Haiku, *OC* III, p. 373).

BURTON — Agora é esperar.

BORGES — Sabem que chegamos?

BURTON — Espero que sim. Eles virão. Cedo ou tarde virão. *(Baixo, em segredo.)* Preparou a pergunta?

BORGES — Será difícil ele sair desta. Quem vai nos receber?

BURTON — Não tenho a mínima idéia. Devem estar decidindo! São muitos! Milhões de funcionários.

BORGES — Por que não nos conta uma história, Sherazade?

SHERAZADE — Ahangar era um extraordinário forjador de espadas que vivia nos vales orientais do Afeganistão. Em tempos de paz construía arados de aço, ferrava cavalos e cantava. A gente dos vales escutava com ilusão as canções de Ahangar. Vinha gente de todas as partes, principalmente para escutar a canção das canções que era a canção de Ahangar sobre o Vale do Paraíso. Era uma música envolvente que tinha uma estranha cadência e contava uma história tão estranha que todos acreditavam conhecer o remoto Vale do Paraíso de que ela falava. Às vezes, perguntavam: "O vale é mesmo verdadeiro?" Ahangar respondia: "O Vale da Canção é tão real quanto a realidade em si". Insistiam: "Como você sabe? Já esteve ali alguma vez?" Ahangar era paciente, respondia: "Não na maneira como se pensa".

Para Ahangar e para todas as pessoas que o escutavam, o Vale da Canção era tão real quanto possa ser a realidade. Aisha, uma donzela do lugar, pela qual ele estava apaixonado, duvidava que existisse tal lugar. Também duvidava o fanfarrão Hassan, um espadachim que tinha jurado se casar com Aisha e não perdia ocasião para zombar do ferreiro. Um dia, Hassan disse a Ahangar: "Já que você acredita tanto nesse vale que está além das montanhas de Sangan, de onde sobe a neblina azul, por que não tenta encontrá-lo?"

Se algum diretor decidir usá-lo inteiro este velho conto sufi, ele se encontra completo no início da segunda versão, ainda neste volume. Trata-se de um imenso break dentro da peça para dar noção do tempo paralisado. Um risco, mas com grande significado, como se verá pelo final do texto que foi recuperado para o ocidente pelo especialista sufista Idries Shah. Neste caso, a atriz deve ter um imenso talento narrativo para fazer a platéia se concentrar nela, na sua narrativa. A arte de Sherazade era narrar.

(O palco se ilumina e vemos, atrás de Borges, Sherazade e o Bibliotecário Imperfeito.)

BIBLIOTECÁRIO IMPERFEITO — Desculpem! Só vim agora, porque essa porta nunca foi aberta, apesar de existir desde o início da Biblioteca. Foi difícil de encontrar. *(Sem estender a mão.)* Sou o Bibliotecário Imperfeito.

BORGES — Imperfeito? Como eu?

BIBLIOTECÁRIO IMPERFEITO — Imperfeito porque não consigo ler todos os livros. A cada momento, quando penso que li tudo, milhares de páginas e de personagens são despejados aqui e se recomeça tudo. Bilhões de palavras para controlar, catalogar, fiscalizar, saber se são verdadeiras, dissimuladas, fraudes, embustes. Temos de comparar traduções, as literais, as ruins e as boas e aquelas que se chamam transcriações...

FUNES — Demorou para abrir, hein? E a gente esperando...

BIBLIOTECÁRIO IMPERFEITO — O que você quer dizer com demorou?

FUNES — Levou muito tempo para abrir, estamos esperando há semanas.

BIBLIOTECÁRIO IMPERFEITO — O tempo não conta aqui dentro e recebemos poucos visitantes. É muito raro vir algum. Que eu me lembre, jamais vi algum.

BURTON — Então, para que a porta?

BIBLIOTECÁRIO IMPERFEITO *(surpreso com a pergunta, sem ter como responder, desconversa)* — Ah! Também precisava encontrar as normas para se entrar.

BURTON — Se não recebem visitantes para que as normas?

BIBLIOTECÁRIO IMPERFEITO — Na Biblioteca guardamos as coisas criadas e as não criadas. Coisas novas surgem a cada momento. O que há aqui é "uma natureza caótica e disforme... léguas de insensatas cacofonias, de confusões verbais e de incoerências" (A Biblioteca de Babel, *OC* I, p. 518). Se o senhor não entendeu, não tem importância. O que desejam?

BORGES — Viemos recuperar uma palavra.

BIBLIOTECÁRIO IMPERFEITO — Uma palavra? Há tantas no seu mundo.

BORGES — Criei uma palavra perfeita. Mas ela me escapou.

BIBLIOTECÁRIO IMPERFEITO — Perfeita? Não me diga! Vieram buscar o Nome Secreto? E vocês não têm idéia de onde ela possa estar?

FUNES *(impaciente)* — Por favor, estamos com pressa, já esperamos demais.

BIBLIOTECÁRIO IMPERFEITO — Para que a pressa? Nem sei se o tempo existe. Aqui não existe.

BORGES — Por quê? É o infinito, por acaso?

BIBLIOTECÁRIO IMPERFEITO — Se o tempo não existe, não existe o infinito.

FUNES — Quanta conversa jogada fora.

BURTON *(para Sherazade)* — Ele quer ficar nesse joguinho sem sentido, cozinhando em água fria, só para ver se descobre o que somos e quem somos. *(Para o Bibliotecário Imperfeito.)* Quer saber? Precisamos entrar! E vamos entrar! Logo! Já!

BIBLIOTECÁRIO IMPERFEITO — Calma, meu senhor. Calma, sem violência. Há um ritual a cumprir e normas a serem seguidas. Conhecem as regras? Vou fazer uma pergunta, um de vocês dará a resposta. Depois, ele é quem me fará uma pergunta.

BORGES — Chega! Sabemos disso. Tudo bem. Pode começar!

BIBLIOTECÁRIO IMPERFEITO — E quem vai responder?

BORGES — Eu. E é apenas uma pergunta! Uma para você, uma para mim? Correto?

BIBLIOTECÁRIO IMPERFEITO — Justo. Uma só! E não mais de uma!

BORGES — Quem faz a primeira?

BIBLIOTECÁRIO IMPERFEITO — Eu, claro *(Pequena pausa.)* Vejamos... Qual... Qual é a velocidade de uma flecha em movimento?

BORGES *(hesita)* — O movimento não existe.

BIBLIOTECÁRIO IMPERFEITO *(surpreso)* — Por quê?

BORGES — Essa já é a segunda pergunta, não preciso responder. Você poderia ter dito: Explique, sem perguntar e eu seria obrigado a explicar.

BIBLIOTECÁRIO IMPERFEITO — Você saberia... por acaso?

BORGES — Não senhor! essa já é uma terceira pergunta. Chega! Agora é a minha vez. Aquiles apostou uma corrida com a tartaruga.

BIBLIOTECÁRIO IMPERFEITO — Calma. Aquiles. Que Aquiles?

BORGES — O herói da Guerra de Tróia! A Ilíada se inicia com a disputa entre ele e Agamenon. Como não sabe? Desse jeito você nunca vai deixar de ser imperfeito. Bem, Aquiles apostou corrida com ela e a tartaruga ganhou. A velocidade que ele atingiu está expressa na fórmula: 10 + 1 + 1 sobre 10 + 1 sobre 100 + 1 sobre 1.000 + 1 sobre 10.000 e assim por diante, numa soma infinita. Agora, me responda, qual foi o trajeto de Aquiles? (Avatares da Tartaruga, *OC* I, p. 273).

(Projetar a fórmula expressa em termos matemáticos.)

BIBLIOTECÁRIO IMPERFEITO *(desconcertado)* — Preciso de tempo para pensar.

BORGES — Que tempo? Você não disse que o tempo não existe para vocês...

BIBLIOTECÁRIO IMPERFEITO — Essa é uma segunda pergunta à qual o senhor não tem direito.

BORGES — Então, responda a primeira. E única.

BIBLIOTECÁRIO IMPERFEITO — Não sou bom em cálculos.

BORGES — Ajudaria se tivesse trazido a Mesa de Salamina para fazer os cálculos... Ou viesse acompanhado por matemáticos como Euclides, Nicômaco de Gerasa, Diofanto de Alexandria,

Bhaskara, Jost Burgi e suas frações decimais, Gauss, Fourier. Sinto muito. Não posso esperar. Tenho quase 87 anos.

BIBLIOTECÁRIO IMPERFEITO — Grande coisa! O senhor sabe que as idades foram canceladas desde que a viagem começou.

BORGES — Sei, eu sei. Burton me avisou. Eu sei!

BIBLIOTECÁRIO IMPERFEITO — De qualquer maneira, para entrar o senhor precisa de um condutor hierarquizado. Vai precisar, sim senhor! Não trouxe nenhum criptólogo, ou um decifrador? Quem sabe um decodificador ou um especialista em percorrer o infinito, um medidor do eterno, ou então um construtor de degraus para as escadas? Se não trouxe...

BORGES — Bem, trouxe Burton, Funes, Sherazade. São as pessoas e personagens que vivem há muito tempo na Biblioteca e podem me ajudar. Eles sabem muito bem como entrar e atravessá-los.

BIBLIOTECÁRIO IMPERFEITO — Que muros? Aqui não existem tijolos nem pedras. Não existem e, mesmo assim, é impossível atravessá-los.

BORGES — Quanta complicação! Para que tudo isso? Só para confundir? É tudo tão simples, tudo o que preciso é de uma palavra!

BIBLIOTECÁRIO IMPERFEITO — Precisa! Eu já sei que precisa! Pare de repetir. Eu já sei. Sei. Acaso o senhor conhece a Biblioteca?

BORGES — Se eu dissesse que a criei, o senhor não acreditaria.

BIBLIOTECÁRIO IMPERFEITO — Será que sabe, então, que aqui existem normas, regulamentos, instituições. Aqui se podem ver "discrepâncias, escadas, galerias hexagonais, poços de ventilação, longas prateleiras. Há vestíbulos, cômodos semelhantes ainda que opostos, espelhos que duplicam, triplicam, quadriplicam, frutas esféricas fornecendo luz, paradoxos, contradições, falsos signos, disparates. Deparamos com escadas sem degraus, degraus sem escadas, cômodos desiguais ainda que semelhantes, buracos que não dão em lugar nenhum, salas sem entradas e saídas. Milhares de livros sem páginas, páginas sem letras, escritas sem palavras" (A Biblioteca de Babel, *OC* I, p. 516).

BORGES — Tudo o que desejo, o que preciso, é uma palavra só, pequena, de oito letras. Uma palavra que criei e preciso dela para continuar a existir, a escrever.

BIBLIOTECÁRIO IMPERFEITO — As palavras nos pertencem. A nós da Biblioteca, o senhor sabe.

BORGES — Mas elas são de todos.

BIBLIOTECÁRIO IMPERFEITO — Nem todas.

BORGES — Essa é minha.

BIBLIOTECÁRIO IMPERFEITO — Ora, sua! Por que reivindica a posse de UMA palavra quando todas podem se acabar de um momento para outro? O senhor não sabe disso?

BORGES — Como acabar? Quem pode acabar com as palavras?

BIBLIOTECÁRIO IMPERFEITO — Existe uma forte pressão para aprovar o projeto de acabar com as palavras, porque fazem mal à saúde das pessoas. Alegam que a humanidade está ameaçada de extinção se continuar a falar.

BORGES — Posso apostar que é coisa da Academia de Línguas de Balnibarbi. Gulliver tinha alertado para isso, quando fez uma viagem a Balnibarbi, depois de ter deixado Laputa. Leu *As Viagens de Gulliver*? Lembra-se do episódio? Diziam que as palavras corroem os pulmões e contribuem para o encurtamento da vida.

BIBLIOTECÁRIO IMPERFEITO — Os bibliotecários de Babel estão muito cansados, muito. São tantas palavras, letras, línguas, livros, personagens, gírias. Não existe nenhuma unidade, nenhum eixo, nenhum princípio que ligue as situações e pensamentos. Os bibliotecários estão exaustos, ficando cegos... mudos... sofrem colapsos e por isso fazem confusões, cometem erros.

BORGES — Cegos? Será o destino dos bibliotecários?

BIBLIOTECÁRIO IMPERFEITO — O senhor não imagina! O que se comenta é que recolher a sua palavra foi parte do movimento de extermínio. Foi uma experiência. Nem sei se é verdade ou desculpa, mas dizem. Como o senhor teve acesso a ela?

BORGES — Não sei. Provavelmente uma fissura, uma brecha na estrutura tenha deixado a palavra se soltar e penetrar em minha mente.

BIBLIOTECÁRIO IMPERFEITO — Como o senhor pode saber da brecha na abóbada celeste? Como sabe dela? É um segredo bem guardado.

BORGES — Segredo? Não me pergunte como sei. Li, li em algum lugar, não me lembro. Talvez em um livro do século XVII. Sim, um livro de Hsue Kin. Li em *O Sonho do Quarto Vermelho*. Ele alertou para a fissura (*O Sonho do Quarto Vermelho*, *OC* IV, p. 380). Mas se sabem da fissura, por que não consertam?

BIBLIOTECÁRIO IMPERFEITO — No giro do universo ela muda de lugar, constantemente. Aparece e desaparece!

BORGES — Pois é. Então foi assim que a palavra chegou até mim!

BIBLIOTECÁRIO IMPERFEITO — De maneira que pensa ser sua! Pensa que as palavras são como as terras? Chega e coloca uma bandeira em cima? Toma posse?

BORGES — Só quero usá-la antes de todos.

BIBLIOTECÁRIO IMPERFEITO — Por vaidade?

BORGES — Por direito!

BIBLIOTECÁRIO IMPERFEITO — Direito? Quem o senhor pensa que é?

BORGES — Sou Borges.

BIBLIOTECÁRIO IMPERFEITO — Jorge Luis Borges?

BORGES — Sim!

BIBLIOTECÁRIO IMPERFEITO — Não! Não é!

BORGES — Sou. Claro que sou! Jorge Luis Borges.

BIBLIOTECÁRIO IMPERFEITO — Nem de longe. O senhor já foi, é o que quer me dizer. Já foi!

BORGES — Como já fui? Sou eu, estou aqui, não estou?

BIBLIOTECÁRIO IMPERFEITO — Você é o duplo de Borges. Não mais do que isso. O duplo.

BORGES — Eu, o duplo?

BIBLIOTECÁRIO IMPERFEITO — Sim senhor, o Outro! Está compreendendo?

BORGES — Mas se eu sou o duplo, então onde está o Borges real?

BIBLIOTECÁRIO IMPERFEITO — Boa pergunta. Me responda o senhor — onde é que ele está?

BORGES — Sou o Outro. Será que sou o outro? O que mais me dá medo, me horroriza. Então, essa viagem foi para nada?... Não posso ficar aqui conversando, conversando. Está na hora! Qual é a minha porta? Por favor!

BIBLIOTECÁRIO IMPERFEITO — Se eu fosse um "demiurgo malévolo", porque aqui existem muitos, indicaria a porta errada. E te salvaria. Porque a porta certa pode não ser a melhor.

BORGES — Me salvaria?

BIBLIOTECÁRIO IMPERFEITO — Ainda há tempo. Desista. Ouça, desista, abandone essa obsessão.

BORGES — Por que tantos enigmas? Desde que aqui cheguei deparo com enigmas, charadas, dissimulações. Por que a porta certa não será a melhor?

BIBLIOTECÁRIO IMPERFEITO — Nela, o senhor entraria em hexágonos onde "os livros não têm sentido". Em cômodos onde "livros não têm a terceira linha". Daria com "livros impenetráveis", em línguas que jamais serão criadas. Isso se não penetrasse no Portal dos Homens de Um Lado Só. Perigosos, traiçoeiros. De costas e ninguém os vê. Viram, você vê o outro lado. Então, atacam! Podem estar ao seu lado agora!

BORGES — Histórias, histórias, o senhor está contemporizando. Quero saber da porta. A porta, por favor!

BIBLIOTECÁRIO IMPERFEITO — Se o senhor abrir a porta que não é a sua, ao entrar não poderá sair. Se entrar na sala errada vai ver que a porta de saída está tão longe, tão distante, que a caminhada de muitas vidas não será suficiente.

BORGES — E na porta certa?

BIBLIOTECÁRIO IMPERFEITO — Não posso responder.

BORGES *(fala com Burton e Sherazade)* — Pensei que a viagem tinha acabado. Que era chegar e entrar.

BIBLIOTECÁRIO IMPERFEITO — A verdade é que o senhor sabe o que a palavra representa e tem medo. Por que não confessa? Conheceu o que não devia e tem medo.

BORGES — Não! não tenho medo, apenas curiosidade, e uma ansiedade enorme por conhecer *(procura por Funes)* Funes! Funes! Onde é que ele se meteu?

SHERAZADE — Não sei, não vi quando ele saiu. *(Ela o ajuda.)*

BORGES *(grave, tateia até escolher uma porta)* — É esta!

SHERAZADE — Tem certeza?

BORGES — A certeza de um cego que sempre soube ver. *(A porta se abre.)* E agora?

BIBLIOTECÁRIO IMPERFEITO — Vão ser canceladas todas as portas de sua memória. Você veio em busca do que não tem o direito de usar.

BORGES — Por que não?

BIBLIOTECÁRIO IMPERFEITO — Ninguém pode contemplá-la.

BORGES — Sou cego.

BIBLIOTECÁRIO IMPERFEITO — Aqui, todos vêem! O senhor nunca foi cego. Fez o mundo acreditar que era.

BORGES — "Deus, com magnífica ironia/ Deu-me a um só tempo os livros e a noite" (O Poema dos Dons, *OC* III, p. 313). Quero ver a minha palavra.

BIBLIOTECÁRIO IMPERFEITO — A palavra pertence a Ele. Ter essa palavra é compreendê-lo. E Ele é indecifrável.

BORGES — Como a palavra o decifraria? Seria ela como o fogo de Prometeu? Ela me condenou? *(Impaciente.)* Por que tentaram me impedir de chegar aqui? Por que tantos obstáculos?

BIBLIOTECÁRIO IMPERFEITO — Vocês é que escolheram a rota. Havia um caminho sem obstáculos. Vocês não quiseram.

BORGES — Havia? Como?

BIBLIOTECÁRIO IMPERFEITO — Claro que havia, sempre há. A Biblioteca está em contato com o mundo, com todos os mundos, conhecidos e desconhecidos.

BORGES — Há uma rota a partir de Buenos Aires?

BIBLIOTECÁRIO IMPERFEITO — Na Calle San Martín, 108, onde funciona um banco. No piso do hall de entrada há um mapa zodiacal. É ali (*Buenos Aires, Ciudad Secreta*, Germinal Nougés, p. 253). Por ali seria fácil. Mas escolheram outra rota porque quiseram.

BORGES — Nós, não! Quem escolheu a rota foi Burton. Não nós.

FUNES *(para Borges)* — Será que não foram eles que orientaram o Burton a fazer isso? Devem ter obrigado ele. Nunca se sabe.

SHERAZADE — Naquele dia, antes de se apresentar a você ele estava calado entre a Biblioteca e Buenos Aires e passou a noite num banco da Praça San Martín...

BURTON — Espere aí, as coisas não são bem assim. Escolhi essa rota porque Alicia falou comigo. Ela estava tão preocupada que imaginei que seria mais saudável que o caminho fosse longo para você se distrair e espairecer, acalmar! Foi só por isso!

BIBLIOTECÁRIO IMPERFEITO — Na verdade, os ardis todos não são um impedimento assim tão drástico. A Biblioteca precisa se resguardar. Muita gente está acorrendo para cá todos os dias, multidões pedem refúgio, proteção! Porque como disse Borges se "suspeita que a espécie humana – a única – está por extinguir-se e a Biblioteca perdurará" (A Biblioteca de Babel, *OC* I, p. 522). Só ela. Se o senhor leu Borges...

BORGES — Mas Borges sou eu, quantas vezes preciso dizer! Meu Deus! Sou Borges! "Lento em minha sombra, com a mão exploro/ Meus invisíveis traços" (Um Cego, *OC* III, p. 116).

BIBLIOTECÁRIO IMPERFEITO — Não lembra que ele disse que ela seria uma nova Arca de Noé?... A única salvação... "A Biblioteca perdurará: iluminada, solitária, infinita, perfeitamente imóvel, armada de volumes preciosos, inútil, incorruptível, secreta", como ele afirmou.

BORGES — Sei muito bem, fui eu quem escreveu!

BIBLIOTECÁRIO IMPERFEITO — Por que insiste nessa mentira?

BORGES — Está bem, pense o que quiser. Mas e a minha palavra?

BIBLIOTECÁRIO IMPERFEITO — Sua?

BORGES — A que vim buscar.

BIBLIOTECÁRIO IMPERFEITO — A palavra a qual o senhor se refere não sei qual é. Na verdade, nem o senhor. Continuo intrigado como chegou a ela. É o que investigam teólogos, filósofos, etimologistas, rabinos, cabalistas, os que conhecem a Torá, o Talmud, a Bíblia, o Alcorão, o livro branco, o livro de areia. Estão fazendo a leitura de todos os textos. São milhões, o senhor terá de esperar.

BORGES — Ainda a mesma história? Já disse que eu sou Borges! Eu! Com tudo o que vivi, não sou digno de nenhum crédito?

BIBLIOTECÁRIO IMPERFEITO — Tranqüilize-se senhor. A palavra deve ter ido para o livro que ninguém tem permissão para abrir. Ou para um dos "Tomos Enigmáticos".

BORGES — Que livros são esses de que se fala tanto?

BIBLIOTECÁRIO IMPERFEITO — Um deles é o livro em branco de 999 milhões de páginas ímpares sem páginas pares. Quem colocar nele a primeira palavra será o autor que escreverá a história das histórias. A que mudará tudo.

BORGES — O livro que todos querem escrever!

BIBLIOTECÁRIO IMPERFEITO — Aquela palavra estava destinada ao livro. Para a história que conterá toda a história dos mundos existentes e não existentes. Dos mundos que ainda se encontram na imaginação das pessoas e não foram colocados para fora. A história que se encontrava nas mentes de autores que morreram e não tiveram tempo de escrevê-la.

BORGES — Sei que ela está aqui. Por que a escondem?

BIBLIOTECÁRIO IMPERFEITO — A palavra pode ter voltado ao Livro Perfeito que se tornou Mais Que Perfeito. A sabedoria absoluta, o saber. O que ensina a obter a imortalidade.

BORGES — A imortalidade. Não quero a imortalidade. Basta ser Borges.

BIBLIOTECÁRIO IMPERFEITO — Quantas vezes preciso repetir? Não, não é! Você é o duplo que Borges enviou para não fazer a viagem. Se você fosse mesmo ele, lembraria o que pediu em 1978. Ele disse: "Não quero continuar sendo Jorge Luis Borges, quero ser outra pessoa" (A Imortalidade, *OC* IV, p. 198).

BORGES — E o que tem a ver? É verdade que sempre imaginei que "ao outro, a Borges, é que sucedem as coisas" (Borges e Eu, *OC* II, p. 206). Será que sou o outro desde que nasci?

BIBLIOTECÁRIO IMPERFEITO — Quer dizer que aceita ser o Outro?

BORGES — Antes de mais nada, preciso saber como foi que me tornei "duplo". Se isso é verdade. Quando foi que aconteceu?

BIBLIOTECÁRIO IMPERFEITO — Na Galeria dos Espelhos, quando você se aproximou de um espelho e ele o mostrou de costas.

Borges — Confesso que fiquei preocupado, quando Funes me perdeu de vista por alguns momentos. Depois tudo passou e não senti nenhuma diferença.

Bibliotecário Imperfeito — Dentro do espelho, você, o duplo, evitava Borges. Por isso, ficou de costas. Quando Borges se distraiu, você saiu do espelho. Logo, Borges penetrou no espelho, atraído por ele. Espelhos não podem ficar sem imagens. Quando vazios, sugam tudo. Ele ficou lá e veio você, o duplo dele, para completar a viagem.

Borges *(para Burton e Sherazade)* — Acho que está ficando tudo muito claro para mim. Não me esqueci. Não perdi a palavra. Acho que, quando a encontrei, entendi. E fiquei assustado. Quando compreendi o tamanho da descoberta, apaguei de minha mente.

Bibliotecário Imperfeito — Você, não! Borges. A palavra, desconfiamos todos, saiu para ele, Borges, por meio do Aleph. Esse ponto do universo que contém todas as circunstâncias do mundo e que Borges viu um dia em Buenos Aires, no porão de uma casa. Foi através dele que a palavra vazou. Borges viu o que não deveria ver. Não podia ver... Mas assim que soubemos que ele tinha a palavra, mandamos Funes, o Memorioso, com a missão de apanhar a palavra e jogá-la no fundo de sua memória de onde nada mais é recuperado. Como Borges costumava ditar seus poemas a um copista, nesse dia, Funes tomou o lugar do copista e, ao criar um poema, Borges, sem saber, deixou a palavra sair. Ele ficava distraído sempre que Alicia não estava por perto.

Borges — Foi no dia em que Alicia não pôde fazer o trabalho e veio um copista novo. Até estranhei porque ele parecia saber tudo de mim.

BIBLIOTECÁRIO IMPERFEITO — O copista era o Funes que resgatou a palavra. Mas tinha ordens expressas para não memorizá-la e nem sequer olhar para ela.

BORGES *(para Funes)* — Era você?

FUNES — Ah, não! Espere aí, não tive culpa, só obedeci!

BORGES — Como você pôde fazer uma coisa dessas? Pensei que fosse meu amigo!

FUNES — Não mando em mim, sou apenas um personagem! Que culpa eu tenho se você me fez desse jeito, sem memórias próprias. Vou fazendo o que me pedem, sou assim.

BORGES *(quase convencido)* — E o Borges? Onde é que ele está? Ele sabe que estou aqui no lugar dele?

BIBLIOTECÁRIO IMPERFEITO — Não parece preocupado. Voltou para casa.

BORGES — Está no apartamento em Maipu?

BIBLIOTECÁRIO IMPERFEITO — Não, em um lugar tranqüilo chamado Plain Palais. Parece em paz.

BORGES — Plain Palais? Plain Palais? Plain Palais é um cemitério de Genebra!

BIBLIOTECÁRIO IMPERFEITO — Por isso tenho certeza de que você é o duplo.

BORGES — Quer dizer que eu?...

SHERAZADE — Não, não é! Eu não estou mais suportando, Funes, por que você não conta logo de uma vez?

FUNES — Contar o quê? Não tenho nada a contar.

SHERAZADE — Tem, sim senhor, e muito. Você sabe do que estou falando?

FUNES — É simples. De uns tempos para cá, há momentos em que posso viver por mim mesmo. Faço o que quero, posso fazer o que quiser. Não estou preso mais a sua história, não sou prisioneiro do seu conto.

SHERAZADE — Não é isso, Funes, você sabe que não é isso!

BORGES *(para Sherazade)* — Diz você, então! O que é que você está querendo dizer?

FUNES *(responde por ela)* — Que eu te salvei.

BORGES — Salvou? Como salvou? Você me traiu, foi isso o que você fez!

FUNES *(bravo)* — Calma! Calma! Calma!

SHERAZADE — Não, Borges! Ouça o que ele tem para dizer!

FUNES — Tudo estava armado para você ser substituído pelo seu duplo na Galeria dos Espelhos, quando eles te mostrassem de costas. O espelho te sugaria e o Borges verdadeiro ficaria dentro dele, para o duplo poder sair. Mas eles esqueceram de uma coisa. O plano tinha uma falha.

BIBLIOTECÁRIO IMPERFEITO — Falha nenhuma. Era um plano perfeito. Que falha?

FUNES — Teria funcionado se Borges enxergasse, mas ele não enxerga. Qualquer pessoa, ao se ver de costas, fica amedrontada e dá as costas ao espelho. Ou se vira procurando atrás dela algum outro espelho, pensando que pode ser o reflexo do reflexo. Como ele não viu nada, não se virou! E assim, o duplo continuou dentro do espelho. Não pôde sair, ficou aprisionado. E o Borges verdadeiro prosseguiu a viagem. O verdadeiro, não o outro. É ele mesmo que está aqui!

SHERAZADE — O que Borges fez a vida inteira? Montou armadilhas, por toda a parte. Criou ciladas sutis, desafiadoras, escamoteando, simulando, dando a entender que ia por um caminho, quando ia por outro.

BORGES — Estou fascinado com essa história, mas estava já me acostumando, até gostando de ser o duplo, sem ser Borges.

BIBLIOTECÁRIO IMPERFEITO — Não estou acreditando muito. E o seu duplo, onde é que ele está?

FUNES — Logo que Borges saiu da Galeria dos Espelhos e seguiu viagem, mandei o duplo a Buenos Aires. A cidade não podia ficar sem ele. Mas ele estava fraco, logo partiu para a Europa.

BIBLIOTECÁRIO IMPERFEITO — Então, se este aqui é o verdadeiro Borges, quem está lá no cemitério de Genebra? Quem?

BORGES *(sorridente pela última armadilha criada)* — Quem será? Quem...? Bom, posso entrar agora? Ou vamos esperar a eternidade aqui na porta?

BIBLIOTECÁRIO IMPERFEITO — Aqui existem normas, regulamentos, instituições, "discrepâncias, escadas, galerias hexagonais, poços de ventilação, longas prateleiras..."

BURTON — Ah! De novo tudo? Não!!!

FUNES — Por favor!

BORGES — Agora você pode dizer. Vai logo, diz qual é a porta verdadeira? Diz qual é!

SHERAZADE — Não, Borges, deixa essa porta para lá! Para quê?

FUNES — Deixa ele, Sherazade!

BORGES — Qual é a porta, meu senhor?

BIBLIOTECÁRIO IMPERFEITO — À sua frente estão 9.999 portas.

BORGES — Como no Palácio Imperial da Cidade Proibida da China.

FUNES — Aposto que é a de número 10.000.

BIBLIOTECÁRIO IMPERFEITO *(para Burton)* — Como é que ele adivinhou? *(Para Borges.)* Realmente há uma porta a mais e é ela a porta certa. A inacessível. Mas os que chegaram até aqui nunca puderam contar a ninguém. Sabe o que ela significa? A partir dela, não há mais volta.

BORGES — Então, ao contrário do que me disse, não é a porta errada que não tem volta!

BIBLIOTECÁRIO IMPERFEITO — Não, é a certa!

BORGES *(intrigado)* — E por que insistiu na errada?

BIBLIOTECÁRIO IMPERFEITO — Não é óbvio? A porta errada o levaria de novo a Buenos Aires, a sua casa na Rua Maipu, ao Rio da Prata. Mas a escolha é de cada um.

SHERAZADE — Não entre, Borges.

BURTON *(abraça Sherazade)* — Ele tem de ir.

BORGES — "Estou cansado, vivi demasiado. Me dou conta que ultrapassei meu limite. Minha mãe, que chegou aos 99 anos, ao fazer 95 estava horrorizada e me disse: Caramba! 95? Acho que perdi a mão!" E minha avó inglesa, ao morrer, nos chamou a todos para dizer: "Sou uma mulher velha que está morrendo muito devagar. Não dramatizemos, não há nada interessante nisso, nada para se alvoroçar".

(Ele se encaminha para a porta e faz o movimento para entrar. Luzes tomam todo o palco que fica intensamente iluminado. Luzes cegantes.)

BIBLIOTECÁRIO IMPERFEITO — Quando entrar, você vai recuperar a visão.

BORGES — Vou entrar.

BIBLIOTECÁRIO IMPERFEITO — Está vendo a palavra?

BORGES — Ainda não. Mas... estranho, eu sinto, ela está em mim.

BIBLIOTECÁRIO IMPERFEITO — Você é a palavra, ela sempre esteve em você. Você finalmente chegou ao que procurava.

BORGES — Meu Deus, que lugar é este!

BIBLIOTECÁRIO IMPERFEITO — Você o conhece apenas de fora. Nunca ninguém penetrou nele. A vida toda você imaginou que estivesse procurando uma palavra esquecida. Não era uma palavra. Era o todo, era tudo, o infinito, a eternidade.

BORGES — "A eternidade que é a soma de todos os nossos ontens, e de todo o presente. E do passado. E do futuro que ainda não foi criado, mas também existe" (Borges Oral, O Tempo, *OC* IV, p. 231).

BIBLIOTECÁRIO IMPERFEITO — Sempre soubemos que você viria a Babel e esse seria o destino final.

BORGES — Este lugar. Eu vi? De fora?

BIBLIOTECÁRIO IMPERFEITO — De fora.

BORGES — Um novo enigma?

BIBLIOTECÁRIO IMPERFEITO — Acabaram-se os enigmas. Você penetrou no último.

BORGES — Vi de fora, agora estou entrando. Onde vi? A palavra, minha palavra não existe. Sou ela, sou eu mesmo e estou aqui, agora, dentro dela como sempre desejei. Posso ver tudo, porque tudo está contido aqui. Todas as coisas e eu incluído nelas. O Aleph? Estou dentro dele. "Um dos pontos do espaço que contém todos os pontos" (O Aleph, *OC* I, p. 686). Não passava de "uma pequena esfera furta-cor de quase intolerável fulgor". Parecia giratória, "mas compreendi que esse movimento era ilusão produzida pelos vertiginosos espetáculos que encerrava". Ah! Sou Borges! Não o duplo.

BIBLIOTECÁRIO IMPERFEITO — Os dois são o mesmo.

BORGES — E a palavra?

BIBLIOTECÁRIO IMPERFEITO — Não existe. Teve vida por um breve momento, o suficiente para te atrair, trazer para cá.

BORGES — "O populoso mar, a aurora, a tarde, as multidões da América, uma prateada teia de aranha no centro de uma negra pirâmide, intermináveis olhos próximos perscrutando-me como num espelho. Vejo todos os espelhos do planeta e nenhum me reflete, cachos de uva, tabaco, veios de metal, vapor de água, convexos desertos equatoriais e cada um de seus grãos de areia, vejo cada letra de cada página, a noite e o dia, minha cama vazia no quarto, o globo terrestre girando entre dois espelhos que o multiplicam indefinidamente, vejo tigres, êmbolos, bisões e todas as formigas da terra. Cartas obscenas, inacreditáveis, vejo a engrenagem do amor e a modificação da morte..." (O Aleph). Estou no Aleph, o objeto secreto. Tenho acesso a tudo, eu sinto, eu sei. Aqui é o infinito e a morte não existe. Agora sou o mundo.

Luz intensíssima domina tudo e então vem o blecaute total. A luz se reduz a um ponto que brilha no fundo, num canto: o Aleph. A cena dura alguns segundos e as cortinas se fecham. Na saída, o público encontra placas indicativas: Biblioteca de Babel, Jardim das Veredas que se

Bifurcam, Onze Esquinas, Cidade Imortal, Zoológico, East Lansing, Adrogué, Palermo Viejo, Calle Maipu, Biblioteca Nacional, Casa Colorada, Confitería Del Aguila, Estância El Retiro, Campos de Antelo, Balkh Nishapur, Jaula dos Tigres, Islândia. Cada flecha indica para um lado, para cima, para baixo, esquerda, direita, várias indicam para um ponto só. As placas serão colocadas enquanto a última cena estiver sendo vivida. O hall do teatro está mergulhado em suave penumbra. Só se vê o brilho de um foco no alto. É o Aleph.

FIM

Esta versão foi editada por Sérgio Ferrara e Fausto Arapi e apresentada nos dias 17, 18 e 19 de março de 2005 no Teatro Guairinha, em Curitiba, no 14º Festival de Teatro e em São Paulo no Teatro Sesc Anchieta, Rua Dr. Vila Nova, entre os dias 25 de abril e 8 de maio. Direção de Sérgio Ferrara, cenário e figurinos de Maria Bonomi e interpretação de Luis Damasceno (Borges), Flávia Pucci (Alicia e Sherazade), Marco Antônio Pâmio (Bibliotecário Imperfeito), Olayr Coan (Dunes), Fernando Pavão (Richard Francis Burton) e Rodrigo Bolzan (Menino). Produção de Marco Aurélio Nunes. Iluminação de Caetano Vilela. Assistente de cenografia: Carlos Pedreañez. Colaboração em cenografia: Leonardo Ceolin. Projetos especiais: Alexandre Martins. Assistente de iluminação: Rosely Marttinely. Operador de luz: Jefferson Bessa. Operador de som: Bruno Henrique Natale. Fotos: Carlos Pedreañez e André Brandão. Edição de som: Sérvulo Augusto. Preparação vocal: Edi Montecchi.

Borges (Luis Damasceno), em desespero, perdeu a palavra mais que perfeita, a palavra que contém todas as palavras.

Alicia (Flávia Pucci) e Sir Richard Francis Burton (Fernando Pavão). Ele, aventureiro e tradutor, veio da Biblioteca de Babel para descobrir a rota da viagem.

Borges e Funes (Olayr Coan) enfrentam
os espelhos que mostram de costas.

Borges atravessa a Galeria dos Espelhos que autoriza a viagem.

Conjuras antigas com a areia do deserto para espantar os maus fluidos e proteger a travessia de Buenos Aires a Babel.

A viagem começa. Sherazade, a contadora de histórias, dança. Os obstáculos logo chegarão.

Burton se imagina sedutor: "Vamos contar juntos *As Mil e Uma Noites*, Sherazade?"

Funes, Borges e o Cartógrafo Perfeito (Rodrigo Bolzan).
Como atravessar a planície sem estragar os mapas milenares?

O Narrador (Rodrigo Bolzan) tem premonição de que a viagem será acidentada.

O Bibliotecário Imperfeito (Marco Antônio Pâmio) demora.
Não encontrava a chave da porta de acesso a Babel.

O Bibliotecário fará uma pergunta e responderá uma.
Somente Borges responde a sua com uma artimanha.

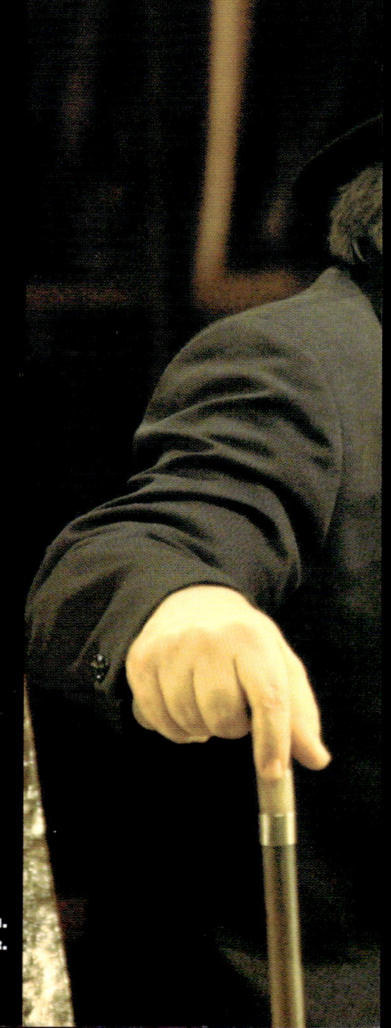

Borges vai entrar na Biblioteca. Despede-se de cada um.
Sherazade não quer que ele entre, sabe o que vai acontecer.

Burton e Funes retiram-se, a viagem terminou para eles. Não para Borges.

O Bibliotecário Imperfeito revela
a Borges o que é a palavra.

Borges caminha para a porta que somente ele conhece, e penetra no infinito, na eternidade.

A ÚLTIMA VIAGEM DE BORGES

(UMA EVOCAÇÃO)

Esta é uma segunda possiblidade de encenação, um tanto diferente da primeira.
Para uma encenação mais lenta, de atmosferas, trabalhada em cima das palavras, símbolos, luzes, sem medo de duração,o tempo escorregando vagaroso.
Sem medo de um ritmo monótono. Algo como se fosse narrado por um contador de histórias.

Personagens

JORGE LUIS BORGES — poeta, contista, ensaísta, tem 87 anos.

ALICIA — secretária, assistente, copista, a quem Borges costumava ditar seus textos, depois de criá-los mentalmente, escrevendo no dorso da mão com os dedos. Entre 30 e 40 anos.

SHERAZADE — personagem de *As Mil e Uma Noites.*

SIR RICHARD FRANCIS BURTON — aventureiro, descobridor das nascentes do Nilo, tradutor para o inglês de *As Mil e Uma Noites*, do *Kama Sutra* e de *Os Lusíadas.* Entre 40 e 50 anos.

FUNES — personagem de Borges no conto "Funes, o Memorioso".

O BIBLIOTECÁRIO IMPERFEITO — guardião da Biblioteca de Babel (citado dentro do conto "A Biblioteca de Babel").

O CARTÓGRAFO PERFEITO — técnico que comanda uma equipe destinada a produzir o mapa perfeito do mundo.

NARRADOR DO FILME — um jovem contratado por Borges para narrar as imagens dos filmes. Borges podia ouvir os diálogos, mas necessitava das "imagens". Também chamado de Menino acompanha Borges na sua viagem.

GULLIVER — apenas uma voz.

No teatro, a partir do hall de entrada, nas bilheterias, paredes da sala, no palco, pelo chão, banners, bandeirolas, cartazes contêm os nomes dos autores lidos por Borges. Os nomes estão dentro de flechas indicativas de direção, umas apontando para um lado, outras para o outro, para cima, para baixo, indicando diferentes autores, conceitos, leituras, tendências. Borges não terá sido um grande zombeteiro, um manipulador que desafiou os que procuraram interpretá-lo eruditamente, seriamente, pretensiosamente? Um mistificador de gênio (como o chamou Otto Maria Carpeaux), um ilusionista?

Agripa – Alan Pryce-Jones – Allan Griffiths – Alberto Gerchunoff – Aldous Huxley – Alexander Laing – Alexander Ross – Alfonso Reyes – Alfred Doblin – Almafuerte – André Breton – André Gide – Andrew Lang – Antoine Galland – A. N. Whitehead – Apolônio de Rhodes – Ariosto – Aristóteles – Arriwara No Harihira – Arthur Machen – Attilio Momigliano – Attilio Rossi – Balzac – Baltasar Gracián – Bacon – Baudelaire – Benedetto Croce – Bernard Shaw – Bioy Casares – Bonestre – Boswell – Bret Harte – Butler – Byron – Camões – Carl Sandburg – Carlo Veja – Carlos Muzzio Sáenz Pena – Charles Duff – Chesterton – Cervantes – C. E. M. Joad – Cláudio Elano – Coleridge – Countée Cullen – Cunningham Graham – Daniel Defoe – Daniel Rojos – Dante – Descartes – Dino Buzzati – Domingo F. Sarmiento – Dostoievski – Eça de Queiroz – Edna Ferber – Edgar Lee Masters – Edward Shanks – Elmer Rice – Emerson – E. M. Forster – Ernoul – Euclides da Cunha – Edward Gibbon – E. E. Cummings – Eduardo Gutiérrez – Ellery Queen – Elmer Rice – Emile Faguet – Evaristo Carriego – Edward Fitzgerald – Edward Kasner – Ernst Bramah – Eugene O'Neill – Estanislao Del Campo – E. S. Pankhurst – Evelyn Waugh – Ezequiel Martínez Estrada – Flávio Josefo – Frank Swinnerton – Franz Werfel – Frederico de Onís – Frei Luis de León – Freud – Fernando Pessoa – F. H. Bradley – F. O. Mathiessen – Fritz Von Unruh – G. B. Harrison – G. K. Chesterton – Gerhart Hauptamnn – Georges Simenon – Gerald Heard – Giovanni Papini – Giuseppe Donini – Goethe – Georg Cantor – Graham Greene – Gustave Flaubert – Gustav Meyrink – Gustav Spiller – H. L. Mencken – Henry Céard – Herman Melville –

Hermann Lotze – Hermes Trimegisto – Heródoto – Hillaire Belloc – Hilaire Belloc – H. G. Wells – Hobbes – Héctor Bianciotti – Henry Duvernois – Henry James – Henry Michaux – Hermann Broch – Hermann Broch – Hermann Hesse – Herman Sudermann – Heródoto – Homero – Hugh Walpole – Hume – Ibsen – James Joyce – Isaac Babel – Jacques de Vitry – James Frazer – James Mathew Barrie – James Farrell – J. B. Harrison – J. B. Priestley – J. M. Salaverria – João Escoto Erígena – John Donne – John Midleton Murry – Jorge Isaacs – Jorge Santayana – José Antonio Conde – José Hernández – Jung – Jules Romains – Júlio César – Julio Cortázar – Juan José Arreola – Juan Rulfo – J. W. Dunne – Jonathan Swift – John Wilkins – Kafka – Karel Capek – Keats – Kepler – Kierkegaard – Lama Yongden – Langston Hughes – Leibniz – Leslie D. Weatherhead – Lao-Tsé – Leusden – Lhomond – Liddel Hart – Leopoldo Lugones – León Bloy – Liam O'Flaherty – Liliencron – Louis Augusto Blanqui – Luciano de Samosata – Lytton Strachey – M. Davidson – Marcel Schwob – Maurras – Macedonio Fernández – Manuel Mujica Lainez – Manuel Peyrou – Marco Pólo – Maurice Maeterlinck – Mauthner – Mark Twain – Max Eastman – Miguel de Unamuno – Milton – Murasaki – Nathaniel Hawthorne – Nicholas Blake – Nietzsche – Nicolau de Antióquia – Omar Khayyam – O. Henry – Olaf Stapledon – Oscar Wilde – Ouspenski *(Tertium Organum)* – Oswald Spengler – Papini – Parmênides de Eléia – Pascal – Pater – Paul Groussac – Pedro Henríquez Ureña – Pierre Delvaux – Pearl Kibbe – Pirandello – Plínio – Poe – Plotino – Quevedo – Quicherat – Rabelais – Rabindranath Tagore – Radclyffe Hall – Rafael Cansinos-Asséns – Ramón Gomez de La Serna – Ray Bradbury – René Descharmes – R. B. Monat – Ricardo Rojas – Rimbaud – Robert Graves – Roberto Godel – Romain Rolland – Rothe – Roy Campbelll – Rudiard Kipling – Rudolf Steiner – Rubén Darío – Santayana – Santiago Dabove – Santo Agostinho – Shakespeare – Stuart Mill – Spinoza – Samuel Beckett – Samuel Johnson – Santiago Daboue – Spencer – Stevenson – Scholem Asch – Somerset Maugham – Sêneca – Schopenhauer – Spengler – Snorri Sturluson – Swedenborg – Swift – Swinburne – Tasso – Tennyson – T. E. Lawrence – Theodore Dreiser – Tomás de Aquino – Thomas Carlyle – Thomas Mann – Thomas De Quincey – Thorstein Veblen – T. S. Eliot – Taso Hsue Kin – Ungaretti – Valery Larbaud – Virgilio – Virginia Woolf – Voltaire – Valéry – Victor Hugo – Zenão – W. B. Yeats – W. H. D. House – Walt Whitmann – William Beckford – Wilkie Collins – William James – William Blake – William Faulkner – William Morris – Wolfgang Schultz.

Ao terceiro sinal, com o público acomodado se percebem sombras na penumbra do palco. Borges entra, acomoda-se em uma cadeira, alguém passa uma esponja em seu rosto. Enquanto isso se ouve a voz clara, doce, sensual de Sherazade:

"Ahangar era um extraordinário forjador de espadas que vivia nos vales orientais do Afeganistão. Em tempos de paz construía arados de aço, ferrava cavalos e cantava. As pessoas escutavam com ilusão os cantares de Ahangar, principalmente a canção das canções sobre o Vale do Paraíso. Contava uma história tão estranha que todos acreditavam conhecer o remoto Vale do Paraíso de que ela falava. Perguntavam: 'O vale é mesmo verdadeiro?' Ahangar respondia: 'O Vale da Canção é tão real quanto a realidade em si'. Insistiam: 'Como sabe? Já esteve ali alguma vez?' Ahangar era paciente, respondia: 'Não na maneira como se pensa'.

Para Ahangar e para todos os que o escutavam, o Vale da Canção era tão real quanto possa ser a realidade. Aisha, uma donzela pela qual ele estava apaixonado, duvidava que existisse tal lugar. Também duvidava o fanfarrão Hassan, o espadachim que tinha jurado se casar com Aisha e não perdia ocasião para zombar do ferreiro. Um dia, Hassan disse a Ahangar: 'Já que você acredita tanto nesse vale que está além das montanhas de Sangan, de onde sobe a neblina azul, por que não tenta encontrá-lo?' Ahangar explicava: 'Não é adequado!' Hassan insistia: 'Por quê?' Ahangar não perdia a calma: 'Porque sei disso'. Hassan provocava: 'Você só sabe o que é conveniente saber e não sabe o que não quer saber. Eu te desafio para uma prova. Você ama Aisha, mas ela não confia em você. Não acredita nesse absurdo Vale de que fala tanto. Assim, nunca vai poder se casar com ela. Porque quando não há confiança entre marido e mulher, eles não serão felizes'. Ahangar se espantava: 'Esperam então que eu vá ao Vale?' Os aldeões responderam em coro: 'Sim!' Ahangar retrucou: 'Se vou e volto são e salvo, Aisha aceita casar-se comigo?' Ela disse que sim. Assim, Ahangar partiu para as longínquas montanhas. Subiu e subiu até que chegou a um muro atrás do qual havia outros cinco muros. Ao descer por uma ladeira, Ahangar percebeu que estava em um vale parecido com o dele, igual em tudo. As pessoas vieram saudá-lo e, quando ele viu toda aquela gente, se deu conta de que tinha acontecido uma coisa muito estranha.

Tempos depois, não se sabe quanto, Ahangar, o ferreiro, caminhando como um ancião, chegou ao seu povoado natal e se dirigiu a sua cabana. Quando se espalhou a notícia de sua volta, as pessoas se reuniram para escutar as aventuras. Todos ficaram assombrados quando viram o quanto ele estava acabado. Hassan: 'Mestre Ahangar, estamos chocados com a sua aparência, vendo como envelheceu. Conseguiu chegar ao Vale do Paraíso?' Ahangar respondeu que sim. 'Como é?' Quis saber Hassan. Ahangar olhou para a sua gente, dominado por um cansaço e um desespero como jamais havia sentido antes: 'Subi e subi. Quando achei que não podia haver vida humana em um lugar tão isolado, cheguei em um vale. Era exatamente igual a este em que vivemos. Logo, encontrei seus habitantes. Aquelas pessoas não são apenas pessoas como nós: são as mesmas pessoas. Para cada Hassan, cada Aisha, cada Ahangar, para cada um dos que aqui estamos, há um outro exatamente igual naquele vale. Imaginei que fossem cópias e reflexos de nós. Porém, descobri que nós é que somos cópias e reflexos deles. Os que estão aqui são seus duplos'. Todos pensaram que Ahangar havia enlouquecido por causa de suas privações e Aisha se casou com o espadachim. Ahangar envelheceu rapidamente e morreu. Todos os que tinham ouvido essa história foram perdendo a alegria de viver, envelheceram e morreram. Porque sentiram que algo irremediável, sobre o qual não tinham controle, ia acontecer e perderam o interesse pela vida. Somente a cada mil anos uma pessoa conhece esse segredo. Quando conhece, experimenta uma mudança. Quando conta aos demais a realidade pura e simples, enfraquecem e morrem.

As pessoas pensam que por isso nada devem saber sobre ele, já que não podem entender que possuem mais de uma personalidade, mais de uma esperança, mais de uma chance lá em cima no Paraíso da Canção de Ahangar, o magnífico ferreiro" (De um velho conto sufi).

A luz acende apenas sobre Borges em sua poltrona.

BORGES — "Forma de nosso ser; piedosamente/ Deus nos depara sucessão e olvido" (Édipo e o Enigma, *Obras Completas* II, p. 330). Será um aviso? O que me aconteceu? As palavras são astuciosas e armam ciladas para nos desafiar. A minha palavra fugiu. Escapou e se ocultou. Eu a construí durante um longo tempo "com sílabas articuladas cheias de ternuras e temores" (A Biblioteca de Babel, *Obras Completas* I, p. 522). Assim que a vi pronta, não me atrevi a escrevê-la, a comunicá-la a ninguém. Eu a deixei guardada, protegida do esquecimento. Desapareceu. Era uma palavra única, solitária. Não se adaptou ao mundo? Sem ela, me sinto cego, eu que jamais lamentei a cegueira. Criei e perdi a palavra que seria a mais perfeita do mundo. E agora?

Um filme projetado sobre a tela do fundo. A Malvada *(All About Eve). Borges de frente para o público. O narrador de costas, olha o filme e narra a imagem que está na tela. Alicia ao lado de Borges.*

NARRADOR — Mulher loira, alta, usando um casaco de pele olha para uma jovem de capa clara e chapéu de chuva, ar de provinciana, que anda pelos bastidores do teatro e chega até o palco, olhando deslumbrada a boca de cena...

BORGES — Celeste Holm e Anne Baxter...

NARRADOR — A mulher com o casaco de pele parece divertir-se com a fascinação da provinciana e se encaminha até a porta de um camarim, seguida pela outra que revela estar descobrindo um mundo encantado. Ela abre a porta do camarim. Estamos dentro. Uma mulher diante do espelho, uma faixa na cabeça, retira a maquiagem. Fuma e tem uma maneira elegante de segurar o cigarro...

BORGES — Bette Davis...

NARRADOR — Há mais duas pessoas no camarim. Um homem bem-vestido, de boa aparência, jeito de intelectual, riso levemente irônico...

BORGES — Hugh Marlowe... Me faz lembrar Bioy Casares...

NARRADOR — A mulher de casaco de pele se dirige à atriz que retira a maquiagem...

ALICIA — Não precisa ler o diálogo. Conte apenas as imagens. Nós te contratamos para narrar cenas entre os diálogos. Apenas isso. Narre o melhor que puder, por favor.

NARRADOR — A camareira anda de um lado para o outro. A mulher retirou o casaco de pele. Anda de um lado para o outro. A atriz de faixa na cabeça parece inquieta, levemente irritada...

ALICIA — Sua narrativa é fria, meu amigo. Coloque emoção.

NARRADOR — É tudo muito rápido. Emoção?

BORGES — Torne as imagens vivas.

NARRADOR — Nunca fiz isto antes. Preciso aprender.

BORGES — Me diga se a personagem está nervosa ou calma. Inquieta ou cínica. Se a expressão deixa transparecer que está mentindo. Se tem o riso debochado ou medroso.

NARRADOR — Preciso interpretar também? E se não percebo a expressão?

BORGES — Atores bons são sutis. Bette Davis foi a maior de

todas. Ela diz as falas e precisamos olhar nos seus olhos. Olhe nos olhos de Bette, no desenho da boca. Às vezes, ela não precisa falar nada.

NARRADOR — São muitos detalhes...

ALICIA — Conversamos e perdemos o filme...

NARRADOR — A mulher que usa casaco de pele tenta convencer a atriz que retira a maquiagem para que receba a outra, a provinciana de capa e chapéu ridículos.

De repente, Borges parece se desinteressar.

BORGES — Não adianta. Faço tudo para me distrair e não adianta. Só penso na palavra.

NARRADOR *(intrigado)* — Na palavra?

BORGES — Na palavra que perdi.

NARRADOR — Perdeu? Não entendo o que o senhor está dizendo.

ALICIA *(mais ansiosa do que Borges)* — Nada?... Não se lembra?...

BORGES — Não adianta!

ALICIA — O que fazer agora?

BORGES — Existe uma esperança!

ALICIA — Existe?

BORGES — A palavra está em algum lugar.

ALICIA — Que lugar?

BORGES — Ariosto, no século XV, imaginou "um paladino que descobriu na Lua tudo o que se perde na Terra. As lágrimas e suspiros dos amantes, o tempo desperdiçado no jogo, os projetos inúteis e os anseios insatisfeitos" (Crônicas Marcianas, *Obras Completas* IV, Ray Bradbury, p. 30). E se a minha palavra foi para a Lua?

ALICIA — Por que foi se ela não é inútil, nem um desperdício?

BORGES — Teria ido por engano.

ALICIA — Com você não existe nada improvável.

BORGES — Burton, uma vez, me disse uma coisa interessante.

ALICIA — Burton?... É...? O que ele disse?

BORGES — Todas as palavras do mundo têm uma cópia. Nenhuma se perde!

Narrador percebe que foi esquecido, Borges e Alicia iniciaram uma conversa particular. Discreto, narrador se afasta, sai do palco.

ALICIA — Burton!

BORGES — Ele mesmo!

ALICIA — Sempre Burton!

BORGES — Tenho uma dívida com ele. Você sabe.

ALICIA — Sei, mas será ele o único?

BORGES — Com ele descobri na infância a magia dos encantamentos, a literatura dos gênios aprisionados em lâmpadas, das princesas que se tornavam escravas. A imaginação, os labirintos.

ALICIA — Nos 17 volumes em inglês de *As Mil e Uma Noites*?

BORGES — Traduzidos por Burton. Parte da magia da biblioteca de meu pai.

ALICIA — Burton. Pode-se confiar nele? Não sei!

BORGES — Um homem que mexeu com palavras tanto quanto eu. Um membro da Via Mística, a que leva ao paraíso.

ALICIA — Um dos teus ídolos...

BORGES — Aventureiro, diplomata, tradutor. Fascinante. O agente secreto que falava dezenas de línguas e dialetos. O homem que se fez de xiita, persa, derviche, peregrino rumo a Meca... Mandamos chamá-lo?

ALICIA — Como?

BORGES — Pensando neles! Pensando intensamente, virão. Lembrei-me também de Funes, ele tem a memória de tudo!

ALICIA — Funes? O Memorioso? Você o criou, mas no final do conto ele acabou no leito, entrevado!

BORGES — Já se move em cadeira de rodas, é esperto!

ALICIA — Pode demorar.

BORGES — Ou não! O que é o tempo? *(Absorto.)* "O universo, o tempo e o espaço não passam de aparências, de um caos de aparências", dizia Parmênides de Eléia.

ALICIA — Burton. Virá?

Borges se retira. Antes de sair dá corda em uma grande relógio de coluna que está num canto do palco. A luz se fecha sobre o mostrador por instantes. Ouve-se o plec-plec-plec do pêndulo. A luz se abre, Burton entra. Alicia se aproxima dele.

ALICIA — Burton?

BURTON — A senhora quer dizer Sir Richard Francis Burton.

ALICIA — Eu quis dizer o amigo de Borges. Um dos homens que ele mais admira. E de quem precisa muito agora!

BURTON — Desculpe o meu aspecto. Normalmente prezo a elegância... Vim às pressas.

Alicia — Borges jamais se preocuparia com o modo de se vestir do homem que traduziu *As Mil e Uma Noites, o Kama Sutra, Os Lusíadas*. Ele tem um enorme respeito pelo seu trabalho, suas aventuras.

BURTON — Minhas aventuras! Nada de importância!

ALICIA — Nada... Apenas descobrir, entre outras, a nascente do Nilo?

BURTON — Invejo Borges! Nenhum outro homem viu o Aleph! Ninguém citou tantos livros nunca escritos como obras fundamentais e construiu a Biblioteca de Babel para ali colocar os autores, as palavras, os personagens, o conhecimento do mundo. O poeta de *Fervor de Buenos Aires*, de *A Rosa Profunda*, o decifrador de desertos, conjurador de espelhos. O homem que aprisionou os seres imaginários...

ALICIA — Agora, ele precisa da ajuda de todos para encontrar a palavra perdida.

BURTON — A palavra perdida?

ALICIA — Borges perdeu uma palavra.

BURTON — E que falta faz a Borges uma palavra? Ele tem todas.

ALICIA — Menos essa que se foi. É uma palavra especial.

BURTON *(subitamente alerta)* — Especial? Por quê?

ALICIA — A palavra procurada há milênios. Sonho de todo poeta, escritor, tradutor, enciclopedista, cabalista, criptógrafo. Uma palavra que tem um significado tão grande que o assustou. A palavra que sempre procurou e todos querem. Conseguiu e perdeu. A memória foi traiçoeira.

BURTON — E como era essa palavra?

ALICIA — Não contou nem a mim. Não teve tempo.

BURTON — Por isso convocou Funes, o Memorioso e o mandou correr pela Biblioteca de Babel, batendo em todas as portas, nichos, escaninhos, abrindo livros, despertando personagens? Parecia muito mais Funes, o furioso!

ALICIA — Borges está desesperado. Ontem, nervoso, me pediu para procurar o telefone do Hotel Las Delicias. Queria um apartamento para ficar sozinho. Pediu o número 19. Tive medo!

BURTON — De novo? O 19? Deve estar mesmo desesperado! Palavras não se perdem. São esquecidas. Desde quando Borges esquece?

ALICIA — Nunca! Desde que ficou cego, criou um sistema de memorizar, de guardar tudo. Decora com facilidade, lembra-se das coisas em castelhano ou inglês, em celta, aprendeu até o islandês... Quando o vejo agora, imagino que nem a cegueira o tenha deixado tão desesperado quanto o esquecimento. Esquecer é outra maneira de ficar cego.

BURTON — Borges angustiado?

ALICIA — Desespero igual, só quando dona Leonor, a mãe, morreu aos 99 anos.

BURTON — Funes, o Memorioso, me contou que Borges o chamou e pediu para que fosse à Biblioteca de Babel e trouxesse todos os personagens e autores que pudesse. Todos os que leu e admirou. Entre eles, vai escolher os personagens que viajarão com ele na busca da palavra.

ALICIA — E quem veio?

BURTON — Sherazade...

ALICIA — Sherazade. Por que ela? Tem de vir? Sempre ela! Aposto que foi a primeira a ser chamada.

BURTON — Ciúmes?

ALICIA — Por que teria? Ela é um personagem...

BURTON — Por que não teria?

ALICIA — Por que o cinismo, agora?

BURTON — Podemos devolver Sherazade a Babel e chamar Dom Quixote. Afinal sempre foi outro personagem estimado.

ALICIA *(sorri)* — Deixe para lá...

BURTON — Ou Bartleby, personagem de Melville, ele achava uma obra-prima.

ALICIA — O implicante que preferia não fazer nada?

BURTON — Tanto que preferiu não vir. Tem também Funes, claro.

Borges está entrando vagarosamente, ouvindo a conversa dos dois.

ALICIA — O homem que contém a memória de todas as coisas. Abriga mais de 70 mil lembranças. Borges espera que você ajude. O que se pode fazer? Tem alguma idéia?

BURTON — Tenho.

ALICIA — E qual é?

Alicia se vira e sorri para Borges, estende a mão e o conduz a Burton.

ALICIA — Aqui está ele. Burton.

BORGES — Burton!

ALICIA — Richard Francis Burton. *(Olha para Burton com um ar irônico.)* Aliás, Sir Richard Francis Burton. Confia tanto nele.

Borges e Burton se olham, sorriem, se aproximam.

BORGES — Alicia já contou? Perdi uma palavra. A que mais procurei a vida inteira.

BURTON — As palavras, meu amigo, quando desaparecem, se vão por algum motivo. O que é o esquecimento?

BORGES — Seja qual for a razão, preciso encontrá-la.

ALICIA — Ele está obcecado. *(Sai de cena.)*

BORGES — Não penso em outra coisa. Estou paralisado.

BURTON — Não adianta se preocupar. Nem se matar de ansiedade. A palavra está lá. Seja qual for!

BORGES — Lá?

BURTON — Na Biblioteca de Babel?

BORGES *(ansioso)* — Mesmo as perdidas?

BURTON — As perdidas, as extraviadas, as arcaicas, as anacrônicas, as que perderam a validade, as não mais usadas, as que não servem para nada, as que estão sendo inventadas, as que serão inventadas.

BORGES — Talvez a minha fosse uma palavra impossível. Como saber?

BURTON — Você tem que ir.

BORGES — Ir? Ir a Babel? Impossível!

BURTON — Ir a Babel, claro. E é possível. Nós que já estamos lá, podemos te levar.

BORGES — E como se vai?

BURTON — Indo! Afinal, você encontrou Uqbar, o país que não existe em documento nenhum! Foi o único a descobrir que em Tlon, que ninguém sabia existir, não há ciência nem raciocínios e que os metafísicos naquele lugar buscam somente o assombro (Tlon, Uqbar, Orbis Tertius, *OC* I, p. 475).

BORGES — Babel... como chegar?

BURTON — É uma viagem longa.

BORGES — Estou pronto.

BURTON — É outro universo. Cheio de códigos.

BORGES — Estou preparado!

BURTON — É necessário projetar a rota.

BORGES — Por isso tenho você. Um descobridor de rotas.

BURTON — Temos de fazer um plano, estabelecer um trajeto.

BORGES — Posso chamar Marco Pólo, Ulisses, Jasão, Gulliver, Preste João, Bartolomeu de Gusmão, o Capitão Nemo, ou o Capitão Ahab, não vivesse ele atrás de Moby Dick, a baleia branca. Ou Joseph Conrad. Poucos conhecem como ele os caminhos para o insondável, para o coração das trevas...

BURTON — Na Biblioteca, estão todos agitados. Perguntam se a palavra foi esquecida ou retirada.

BORGES *(tem um impacto)* — Retirada?

BURTON — Sabemos também que se preparam para impedir que você chegue à Biblioteca. Vão tentar te desviar, atemorizar, te destruir.

BORGES — Falamos, falamos e nada está saindo de prático.

BURTON — Personagens e autores que gostam de você. Agora mesmo estão acampando na Praça San Martín, aqui ao lado. Esperando que você decida quem vai na viagem.

BORGES — Estão? Quem?

BURTON — Capitão Ahab, Huckleberry Finn, Tom Sawyer, Raskolnikoff...

BORGES *(treme)* — Raskolnikoff? Não!

BURTON — Não? Um dos maiores personagens da literatura!

BORGES — É que me lembro de minha juventude, "quando era um homem triste, melancólico que tendia a dramatizar tudo.

Queria ser como Hamlet ou Raskolnikoff" (*Diálogos sobre la Vida y la Muerte*, Liliana Heker, p. 38).

BURTON — E agora? Ainda tem medo?

BORGES — Não. Agora não. Quem mais veio?

BURTON — Hamlet, não. Estão aí também o senhor K, Julien Sorel, Madame Bovary, Christmas, Evaristo Carriego, a viúva Ching, a corsária, Robinson Crusoe, Leopold Bloom, até princesa de Guermantes, Werther, Hans Castorp, o menino do tambor de Gunther Grass, Tristram Shandy, Mathieu, Heathcliff, Gulliver, Simbad, o marujo, T.E. Lawrence e sua motocicleta, Tom Joad, Thomas De Quincey, o Marquês de Laplace, Bartleby, o Capitão Long John Silver, os Buddenbrook, Jean Valjean, o corcunda de Notre Dame, Esmeralda, Scharlach, Johnny Dolan...

BORGES — É um personagem meu, mas me arrepia, usa uma ponteira de cobre para vazar os olhos das pessoas... (O Atroz Redentor Lazarus Morel, *OC* I, p. 321).

BURTON — O Golem...

BORGES — O Golem? Lá embaixo?

BURTON — Como a multidão se estende da Praça San Martín e segue pela Rua Maipu, eu o vi na esquina de Corrientes. São milhares... Leais. Como conseguiu ler tudo?

BORGES — A Biblioteca se expandiu. Aumenta a cada página que se escreve no mundo, a cada livro publicado, cada livro pensado, cada palavra criada.

BURTON — Tem uma coisa, é a mais importante. Para ir, você deve encontrar a porta.Você não a descobre sem passar pela Galeria dos Espelhos.

BORGES — A porta... Espelhos, sempre os espelhos... Estou cansado de espelhos, de labirintos, de tigres... Minha memória se transformou em um labirinto.

BURTON — Tem de atravessá-los, é o primeiro passo. Tudo depende deles há milênios.

BORGES — Há uma maneira de convencer um espelho?

BURTON — O espelho vê tudo. Só não vê o que está atrás de você. Mas na Galeria existem espelhos que nos mostram de costas.

BORGES — De costas?

BURTON — Diante deles, de frente, o que se vê são nossas costas. Se você se ver de costas, não encontrará a saída. E a saída é o início da rota.

BORGES — Onde está a Galeria?

BURTON — Você é tão relacionado! Será que não tem ninguém que conheça a Buenos Aires secreta?

BORGES — "Buenos Aires,/ que antes se espalhava em subúrbios/ em direção à planície incessante,/ voltou a ser La Recoleta, o Retiro,/ as imprecisas ruas do Once /e as precárias casas velhas/ que ainda chamamos o Sul" (Elogio da Sombra, *OC* II, p. 419). E Funes?... *(Subitamente lembra-se.)* Espere, tenho, claro que tenho! Xul Solar. O pintor. Xul Solar sempre transitou em realidades desconhecidas!

BURTON — Xul Solar? O homem que um dia, depois do almoço, criou 12 religiões!

BORGES — E inventou 12 línguas.

BURTON — Vamos até ele.

BORGES — Você vem conosco, Alicia?

ALICIA *(ar triste, quase de dor)* — Não, não vou.

BORGES — Não vai até Xul Solar ou não vai nessa viagem?

ALICIA — Não vou nessa viagem!

BORGES — Mas é você quem prepara tudo.

ALICIA — Essa viagem não quero preparar. É sua!

BORGES — Estamos nos despedindo?

ALICIA — Não sei o que dizer. Que momento é este? O que é uma despedida?

BORGES — "O momento mais intenso de uma relação" (*Diálogos sobre la Vida y la Muerte*, Liliana Heker, p. 38).

ALICIA — Vivemos momentos muito intensos, você e eu!

BORGES — Venha. Foram tantas as viagens depois que nos conhecemos. Tantas desde a Islândia!

ALICIA — "Quando nos despedimos estamos mais com uma pessoa do que costumamos estar normalmente." Você disse isso uma vez!

BORGES *(melancólico, impaciente, confuso, interrompe)* — ... Vamos ou não vamos?

ALICIA — Fico.

BURTON — Como Penélope? A tecer?

ALICIA *(irônica, irritada, melancólica)* — Como Penélope... A tecer... A tecer palavras ... A tecer esperas... A tecer...

BORGES — Vamos até Xul Solar!

BURTON — É lá? O homem que conhece a Buenos Aires Secreta?

BORGES — O homem que conhece mundos secretos!

BURTON — Ah! Antes que eu me esqueça, tem uma coisa importante. Muito importante! Uma armadilha! Para poder entrar em Babel.

BORGES — O que é?

BURTON — Na porta da Biblioteca, o Bibilotecário Imperfeito vai te fazer uma pergunta. E você terá uma para ele. Terá de ser uma pergunta sagaz, astuciosa. Meio pegada, entende? Leve uma preparada.

BORGES — E a dele?

BURTON — É diferente para cada pessoa. Impossível prever.

BORGES — Já sei. Já sei o que perguntar a ele. Sei bem. Se ele responder terei resolvido uma velha questão. Mas estamos demorando para decidir... Muita conversa! Então, rumo a Rua Laprida. Vamos a Xul Solar! Estou muito inquieto!

BURTON — Fique tranqüilo! Mesmo sabendo que tem etapas que serão tormentos!

BORGES — "Sou um veterano do pânico... Sei que estou aterrorizado... Mas isso não importa..." (*Diálogos com Borges*, Osvaldo Ferrari).

BURTON — Passada a porta para a Galeria, muda a realidade. Não existirá mais o cotidiano.

BORGES — "A realidade é um produto dos sonhos dos mortos" (*Borges Verbal*, Bravo & Paoletti, p. 159).

BURTON — Seria tão bom se você pudesse enxergar...

BORGES — Nunca lamentei minha cegueira.

BURTON — Às vezes, muitas vezes, penso que você enxerga mais do que todos nós. *(Cala-se. Olha para Borges, fica um tempo em silêncio.)* Funes demora. Já devia estar aqui, disse que chegaria na frente. É rápido em sua cadeira de rodas. Aqui entre nós, parece-me que ele nunca se conformou com a idéia de terminar entrevado numa cama, paralítico, como você o colocou...

BORGES — É aqui. Saímos do real?

BURTON — Aqui também é real. Aqui você vai ser conduzido à entrada para a Galeria dos Espelhos. Terá de encontrá-la.

BORGES — Como encontrá-la? Por que não me mostra?

BURTON — Faz parte da sua prova. Você atravessará por dentro dos mundos criados por Xul Solar, até encontrar a porta.

BORGES — Portas lembram mistérios, portas fechadas, portas proibidas.

BURTON *(querendo ferir)* — Seu desafio é maior, você é cego.

BORGES — Por que você volta ao assunto sempre? Por que te incomoda tanto a minha cegueira? Cego, tenho os olhos do santo islâmico el-Khidir cujos olhos viam onde o bem começava e o mal terminava.

BURTON — Cego, eu me suicidaria.

BORGES — "Comecei a perder a vista aos poucos e tive a sorte de saborear aos poucos a chegada da noite, e agora convivo com ela perfeitamente como um doente acostuma-se a viver com sua moléstica crônica, naturalmente" (*Borges no Brasil*, Jorge Schwartz, p. 505).

BURTON — Ao entrar, você vai recuperar a visão. Enquanto estiver dentro dos quadros, verá. Na Galeria Pacífica dos Espelhos estará cego de novo.

BORGES — Vou rever os quadros de Xul Solar. Meu pai, que também era cego, recuperou a visão por um breve período. A visão dele como a minha foram devoradas pelas letras, milhões de letras. Seis gerações dominadas pela cegueira. Aqui estamos. Tudo bem! Como entrar?

BURTON — Penetre pela rampa da direita, sem ouvir os apelos dessas pessoas que vão te chamar desesperadas. Suba a última escada à direita, perto da figura de branco, que é a do bem. Vá direto em direção ao sol que aparece no alto da escada.

BORGES — Recupero a visão e olho para o sol? Vai me cegar de novo!

BURTON — Você não deixa de ser cego. Mas vai poder ver, porque ali estará em outra realidade. Suba a escada até poder penetrar no sol.

BORGES — Subir uma escada nesta idade?

BURTON — Sua idade desapareceu. Vá pelas escadas, são mais fáceis. Evite o canteiro, é areia movediça, corra para a pirâmide à direita.

BORGES — Correr?

BURTON — Você luta contra o tempo. Vai se encontrar diante da porta que dá para os *Fiords*, etapa final. *(Surge o quadro* Fiords, *de 1943.)* Veja quanta serenidade! Deixe-se dominar por ela, vai precisar na jornada. A figura que está à esquerda te orientará quanto à passagem pela água, ela te dará um barco. No final do *Fiord* há um porto. É o início da Galeria dos Espelhos.

BURTON — Te espero do outro lado. Te esperamos. Todos! Todos que vieram de Babel.

BORGES — Ao atravessar a Galeria, como saber se fui aprovado?

BURTON — O espelho final vai mostrar sua imagem de frente multiplicada em uma janela. É o sim. Ou de costas. É o não. Os espelhos podem trapacear. Permitirem e te conduzirem a rotas erradas.

BORGES — Como saber?

BURTON — Não há como.

BORGES — Mesmo assim a viagem será feita!

BURTON — Será!

BORGES — E se me conduzirem à rota falsa?

BURTON *(sorri)* — Será a prova de que Borges não existe.

BORGES — Portanto, estou em busca do quê?

Blecaute. Entra Funes na cadeira de rodas.

FUNES — Venha, Borges.

BORGES — Para onde?

FUNES — Na direção de minha voz.

BORGES — Não sei se vou. Não vale a pena. Vá você, Funes! Volte para a Biblioteca, leve os outros. Não quero mais ir. Não quero enfrentar os espelhos.

FUNES — O que deu? Vem! Continua! O que deu? Agora não tem jeito. Olhe em volta. Vê uma alguma saída?

BORGES — Há quantos anos não vejo nada? Está bem, caminhemos. Continue falando, seguirei sua voz. Os espelhos estão aí?

FUNES — Todos, centenas.

BORGES — Fale... fale... Nunca te perguntei, mas pode ser. Se for, nem precisamos continuar. Por acaso não te falei da palavra?

FUNES — Da palavra? Que palavra? A que perdeu?

BORGES — Pensei que poderia estar dentro de você... Foi uma breve esperança.

FUNES — Você colocou tanta coisa dentro de minha memória. Pensa que é bom? Nunca imaginou um homem que vive de pensar nas memórias que carrega? E nenhuma delas é minha! O que fez de minhas lembranças, Borges? Quem sou, sem lembranças? Por que me criou? *(Altera a voz.)* Assim... está passando pelos espelhos. Chegou ao meio.

BORGES — Todos me mostraram de frente?

FUNES — Todos... não! Espere, pare!... Espere!

BORGES *(se assusta)* — O que é? O que foi?

FUNES — Você estava de costas. Volte.

BORGES — Voltar? O que aconteceu?

FUNES — Sua figura desapareceu.

BORGES — Desapareceu? Não diga isso!

FUNES — Volte antes de chegar ao próximo espelho. Você estava de costas.

BORGES — De costas! Não, não posso estar de costas!

FUNES — A última vez que vi, você estava de costas.

BORGES — De costas? Não, não, não.

FUNES — Não sei o que aconteceu.

BORGES *(assustado)* — Minha imagem não pode ficar de costas. Significa voltar para casa, fracassar na busca de minha palavra. Acabar tudo!

FUNES — Perdi sua imagem. Não está em parte alguma.

BORGES *(ansioso)* — Não vê a imagem? Ao menos, a mim você vê?

FUNES — Nem você nem a imagem. Será que está dentro de um espelho?

BORGES — "Quando menino, eu temia que o espelho/ me mostrasse outro rosto ou uma cega/ máscara impessoal que ocultaria/ algo na certa atroz" (O Espelho, *OC* III, p. 211).

FUNES — Pronto, encontrei!

BORGES — Encontrou? Que alívio! Onde eu estava?

FUNES — Desfocado. Perdi a sintonia do espelho. Agora só mais uns passos... Mais dois espelhos... Assim, vá em frente... Acabou...

BORGES — Acabou. E...? E...? Diga logo, fui aprovado?

FUNES *(grita satisfeito)* — Foi! Foi aprovado! Passou! A rota está à sua frente. Nela todos esperam. Todos os que chamei.

BORGES — Meus personagens amigos. Mas já sei com quem quero ir. Atravessei esses espelhos pensando neles. Com você, Burton, Sherazade. Não precisamos de mais ninguém.

A cena se apaga. Acende outra vez. Sherazade dança em torno de Borges.

SHERAZADE — Esta é a nossa primeira noite. Mais de mil virão, até você encontrar a Biblioteca. Nenhuma noite se repetirá e, se alguma repetir, tudo começa de novo, a partir da primeira, até completar mil e uma.

BORGES — Quer dizer que essa noite pode não acabar nunca? "O universo desta noite contém a vastidão/ do esquecimento e a precisão da febre" (Insônia, *OC* II, p. 259).

SHERAZADE — Você atravessará o deserto. Mas o deserto pode se tornar pântano, virar mar, montanha, ruínas. Babel monta defesas e você tem de acreditar muito na sua palavra. Ela tem medo que você não a utilize bem.

BORGES — Medo?

SHERAZADE — As palavras ficam assustadas quando caem em mãos ineficazes.

BORGES — Será o meu caso?

SHERAZADE — Mal empregadas elas perdem a força, se debilitam. Mal empregadas podem se tornar monstrengos. Podem morrer. Prepare-se para grandes obstáculos!

BORGES — Obstáculos?

SHERAZADE — Sim, porque as palavras quando se defendem usam tudo, criam resistências, inventam artimanhas, truques, seres, exércitos, que virão de todas as partes de todos os livros, de todos os textos de todo o mundo.

BORGES — Tudo isso por causa de um esquecimento?

SHERAZADE — Ter se esquecido pode significar que a sua palavra foi capturada como proteção. E se essa palavra é maior, muito maior do que você possa imaginar?

BORGES — Maior?

SHERAZADE — E se é uma palavra à qual os humanos não pudessem ter acesso? Por não saber usá-la devidamente!

BORGES — Vai ver, decepcionei muitas vezes. Ou sempre. Mas as palavras, sei o que fazer com elas! Ao menos, me esforço. "Ao errar pelas lentas galerias/ Sinto às vezes com vago horror sagrado/ Que sou o outro, o morto, habituado/ Aos mesmos passos e nos mesmos dias" (Poema dos Dons, *OC* II, p. 208).

SHERAZADE — Não vá nessa viagem.

BORGES — Como não ir?

SHERAZADE — O deserto não passa de um labirinto, um jogo de espelhos destinado a te fazer perder.

BORGES — É a viagem mais importante de minha vida.

SHERAZADE — E se for além?

BORGES — Além? O que quer dizer?

SHERAZADE — A última.

BORGES — Não me assusta.

SHERAZADE — Deixar de ser. Não assusta?

BORGES — "A esperança de deixar de ser..."

SHERAZADE — Mas a vida...

BORGES — "A vida... acredito que por mais infeliz que alguém seja... e todos somos, às vezes, deve-se agradecer por viver... Mas existir para sempre?" (*Diálogos sobre la Vida y la Muerte*, Liliana Heker).

SHERAZADE — Será? Nem sabe o que vai enfrentar.

BORGES — Sempre me aventurei no desconhecido.

SHERAZADE — Não vai encontrar o que procura.

BORGES — Como saber sem tentar?

SHERAZADE — O que busca é impossível.

BORGES — O que é o impossível?

SHERAZADE — Enfrentará armadilhas, impossibilidades, segredos. E seres imaginários contra você!

BORGES — Como sabe?

SHERAZADE — Seres imaginários como eu sabem tudo. Não vá!

BORGES — Você não é um ser imaginário.

SHERAZADE — Sou e você também. *(Ela dança.)*

Não é um intervalo. É um momento em silêncio, quando nada se passa, nada acontece, os personagens estão imobilizados. O tempo passa. Exasperante. Ouve-se uma milonga. Ou o próprio Borges dizendo um poema. Borges ouve alguém a chamá-lo:

— Borges, Borges, Borges.

Uma voz dissimulada. Tudo o que se vê é apenas um vulto.

BORGES — Quem é?

PERSONAGEM — Sou Gulliver.

BORGES — Gulliver. Pensei em você. Um grande viajante.

GULLIVER — Estivemos juntos na Grande Academia de Lagado.

BORGES — Claro! Na viagem a Balnibarbi! Deixei Laputa, fui para lá.

GULLIVER — Lembra-se? Acho que pode haver ali uma relação com o esquecimento de sua palavra.

BORGES — Relação?

GULLIVER — Naquela viagem você recusou ver o projeto da Escola, ou da Academia de Línguas. Foi uma coisa que te horrorizou.

BORGES — Verdade, terrível, terrível. Era contra as palavras.

GULLIVER — Pretendiam "abolir completamente todas as palavras, o que seria vantajoso para a saúde... Pois dizia-se que todas as palavras que pronunciamos diminuem, pela corrosão, os nossos pulmões e contribuem para o encurtamento de nossas vidas..." (*Viagens de Gulliver*, Jonathan Swift).

BORGES — Está claro! Fiquei assustado, até deprimido. "Propunha-se então que sendo as palavras apenas nomes para as coisas, seria conveniente que todos os homens trouxessem consigo as coisas de que precisassem ao discorrer sobre um assunto" (*Viagens de Gulliver*, Jonathan Swift). Ou seja as pessoas carregariam nas costas fardos imensos, mesmo que quisessem dizer coisas curtas...

GULLIVER — Pessoas do mundo inteiro, apavoradas, estão se juntando e indo em direção a Babel. Têm medo de morrer, porque falam, usam muitas palavras, acham que os pulmões estão gastos. Babel precisa impedir essa gente de entrar. Não são personagens, nunca estiveram em livro algum, a grande maioria não sabe ler...

BORGES — Em Balnibarbi os revoltados venceram?

GULLIVER — Não. As mulheres impediram o projeto de ir adiante, revoltadas com a impossibilidade de conversar. Por isso estão dando a cartada final. Em Babel. É sobre isso que vim falar. Porque um professor daquela Escola de Línguas está ganhando prestígio dentro de Babel, influenciando os Imperfeitos Bibliotecários, principalmente os preguiçosos que querem ler cada vez menos. Assim, se abolirem as palavras, eles estarão livres de seus encargos que são pesados. Deduzi que o desaparecimento de sua palavra pode ter sido uma experiência. Se não for coisa maior, muito maior.

BORGES — Maior? Maior do que o quê?

GULLIVER — Suposições... suposições...

BORGES — Espere, Gulliver. Espere! Preciso saber mais... Gulliver! Gulliver!

Gulliver se retira.

SHERAZADE — Estamos prontos para partir.

BORGES — Mais um minuto. Tenho ainda uns preparativos. Os últimos. Pequenas coisas de que precisamos.

SHERAZADE — Como o quê?

BORGES — Como ampulhetas, clepsidras, talismãs, mapas, pedras ímãs, o anel que gera nove anéis, sinetes, caleidoscópios, o selo de Salomão, relógios de sol e relógios de noite, amuletos, encantamentos, filtros, cabalas, amavios, mandingas, espelhos duplicadores, espelhos abomináveis, espelhos deformadores.

BURTON — Levo o normal quando viajo. Mudas de roupa, um cantil de água, um lençol, remédios em frascos, diagramas mágicos, mandalas, caixas de comprimidos, moedinhas de ouro, o guarda-sol amarelo, um porta-canetas e um tinteiro. Ah! E um punhal e o rosário.

BORGES — Rosário?

BURTON — Um pesado rosário que pode se transformar em arma de defesa ou ataque. Será bom levar também um tapete persa para servir de mesa, oratório e cadeira (*Sir Richard Francis Burton*, Edward Rice, p. 198). Levarei também pencas brancas de mirto e flores rosadas de oleandro com perfume de amêndoa.

Borges apanha um punhado de terra e joga no chão, calca com o pé direito.

SHERAZADE — O que ele está fazendo?

BURTON — Pequenas conjuras. "Coisas antiqüíssimas para nos proteger dos inimigos, das dores, dos mal-estares, das emboscadas e das traições" (*Borges Profesor*, Arias e Hadis Martin (orgs.), p. 366-367).

Borges atira mais terra sob os pés, calca com força.

Aqui se inicia a minha jornada.
Adeus petrificadas datas letais
rio da Prata vagaroso e barrento
adeus Calle Tucumán, 840, rua de meus avós
adeus cisternas e pátios,
moinho vermelho do jardim,
espelhos triplicados do meu quarto na infância,
Palermo, miserável periferia portenha
Adeus leccionários que minha avó Fanny lia para mim,

arrabales, compadritos e suas brigas de faca
políticos sorridentes, mentirosos, subornadores
verões de Adrogué, minha infância
perdido Jardim Zoológico com sua confeitaria e seus tigres amarelos
adeus Quinta das Delícias
Café La Perla, na Praça Onze
Biblioteca Municipal Miguel Cané
adeus noites que cheiram a mate curado
cidade dos magos, dos realejos
das Cinco Esquinas,
do mate compartilhado, dos criollos
adeus aos generais, ao meu autoconfinamento
à Biblioteca Nacional, às ameaças
adeus terrenos baldios alagadiços, Belgrano
hospital Rivadavia, o jardim zoológico
adeus pracinhas com frescor de pátios
secretas cisternas
odor de jasmim e de madressilvas
horas em que a luz tem a finura da areia
alpendres entorpecidos de sombra
vis lupanares
arrabaldes que são o reflexo de nosso tédio
estéreis muros silenciosos, ruas taciturnas
esfinge de um livro que eu tinha medo de abrir
Calle do Armazém Rosado
adeus simulacro dos espelhos
pintados talismãs de papelão

adeus imarcescíveis e cegas rosas

Adeus Buenos Aires

jardim calcado num espelho

eu espectador de tua formosura

adeus Hotel Las Delicias, onde, no quarto 19,

me preparei para morrer e não morri.

(Citações de Fervor de Buenos Aires, *OC*, p. 9-51.)

No céu, astros, estrelas e o ponto luminoso, o Aleph. Borges se abaixa e lava as mãos com a areia. Ergue-se e deixa a areia escorrer das mãos como se fosse uma ampulheta.

SHERAZADE — O que está fazendo?

FUNES — “Modificando o deserto” (O Deserto, *OC* III, p. 500). A cada movimento de suas mãos, as areias deixam de estar como estavam, mudam de posição. Cada passo que damos nesta areia provoca uma mudança na superfície.

BURTON *(impaciente)* — Estamos perdendo tempo, temos de ser práticos.

FUNES — Tempo? O tempo cessou, os relógios estão parados.

BORGES — Por isso preciso de você. É a única pessoa do mundo que sabe as horas com exatidão, sem ter relógio, sem nunca ter olhado para um.

Começo da madrugada. Luar forte ainda, de maneira que se tem uma luz estranha sobre as pessoas. Ouve-se um ruído, como o tropel de centenas de cavalos, gritos de pessoas incitando à luta, bater de ferro contra ferro.

BORGES — Ali estão eles, galopando ao nosso encontro. Avançando como uma muralha móvel.

FUNES — Do que você fala?

BORGES — Daquele exército.

FUNES — Exército? Como é que você pode ver um exército? Nós somos os teus olhos.

BORGES — Estão ali, ameaçadores. Exterminadores.

FUNES — Quem?

BORGES — Delinqüentes e compadritos, rufiões, facínoras, saqueadores, esmoleres, vagabundos, eunucos, abomináveis, chinas, cães farejadores, boateiros, mentirosos, vadios do bairro, soldados, trapaceiros, rapazes do carteado, estúpidos, arrivistas, malevos, blefadores, ignorantes, cruéis, traidores, ameaçadores, impostores e degoladores.

FUNES — Degoladores com espadas, achas ou adagas?

BORGES — Com espadas sem corte. "A noite lateral dos vagos pântanos/ me espreita e me demora. Escuto os cascos/ de minha quente morte que me busca/ com ginetes, com belfos e com lanças" (Poema Conjetural, *OC* II, p. 268).

BURTON — Seremos massacrados!

BORGES — Não! Porque vejo se aproximar pela retaguarda Isidoro Acevedo. Meu avô materno. Vivendo um novo dia dentro do seu último sonho. Me salvar. Meu avô, pai de Leonor, minha mãe. Ele "recrutou gente do pampa... fez uma última leva, juntou um exército de sombras portenhas"...

FUNES — Onde estão esses exércitos de que ele fala?

SHERAZADE — Por que insiste em não ver? Ele vê!

FUNES — Vê?

BORGES — Do outro lado, chegam mais reforços. Deixe-os se aproximarem. É o coronel Francisco Isidoro Borges, meu outro avô, o paterno. Tomou parte nas guerras civis pela independência... Derrotou o ditador Rosas em Caseros. Herói da batalha de La Verde. "O universo desta noite contém a vastidão/ do esquecimento e a precisão da febre" (Insônia, *OC* II, p. 259).

O ruído desaparece, fica um grande silêncio, prolongado, as luzes do palco mudam.

FUNES — Já andamos um bocado!

BURTON — Estamos parados.

BORGES — Estamos nos deslocando.

BURTON — Não sinto.

BORGES — Estão ouvindo? São serpentes sibilando.

FUNES — Não ouço nada. Sinto o cheiro pesado de um pântano. Estamos à beira dele.

BURTON — As coisas estão se modificando rapidamente para que a gente não prossiga...

BORGES — E as serpentes?

FUNES — Não ouço! Que serpentes?

BORGES *(falando para ele mesmo)* — E se a palavra nunca existiu? E se foi um sonho? E se a palavra não passou de um desejo tão forte e intenso, que passei a acreditar? Sou um homem cheio de dúvidas. E se estou vagando dentro de um conto, um poema meu?

Interrompe a divagação, volta ao real, percebe Sherazade diante dele, dançando a milonga como se dançasse a dança dos sete véus.

SHERAZADE *(sempre dançando)* — Sabe quando chegaremos? Se é que vamos chegar! Continuamos parados.

BORGES — Quantas vezes preciso explicar que não estamos parados?

SHERAZADE — Faz uma semana que atravessamos esse deserto, ouvindo o ruído de água abaixo de nós e o rugido dos tigres. Será que nos perdemos?

BORGES — "Tyger, Tyger, burning bright in the forests of the night", dizia Blake.

BURTON — Não nos perdemos, a rota é essa.

BORGES — Temos de achar a saída que conduz a Babel. Ou vamos sair no extremo oposto, de novo em Buenos Aires, no Jardim das Veredas que se Bifurcam.

SHERAZADE — Se ao menos a lua não estivesse escondida pelas nuvens.

BORGES — Ouvem o sibilar das serpentes?

FUNES E SHERAZADE — Não! Não ouvimos nada.

Rugidos de tigres que rondam à distância.

BORGES — Precisamos cruzar esse pântano.

BURTON — Não é pântano.

BORGES — Claro que é um pântano, olhe as águas escuras.

BURTON — Não são águas escuras. São espelhos sem face. Pode olhar... São espelhos cegos.

BORGES — Espelhos cegos?

BURTON — Espelhos feitos para os cegos olharem.

BORGES — Que caminho é esse que tomamos? Podíamos ter ido por outro, Sherazade.

SHERAZADE — Em qualquer dos caminhos, eles vão tentar impedir que você chegue lá.

BORGES — Por quê? Sou uma ameaça?

SHERAZADE — A palavra que você criou não podia ser conhecida. Cada vez mais tenho certeza disso!

BORGES — Existe um motivo?

SHERAZADE — Na Biblioteca de Babel havia um grande alvoroço, confusão danada, todos excitados, confusos, aos gritos e indignados: Como a palavra saiu? Quem a perdeu para Borges? Babel está parada à procura de uma solução. Tudo o que conseguiram fazer foi eliminar a palavra de sua memória.

BORGES — Tinham o direito de me confiscar a palavra?

BURTON — Não! Quem a criou é o dono! Por que esse apego a uma palavra?

BORGES — E se eu não a criei? Não é uma invenção minha? Se estava pronta e me chegou sem que se saiba por quê?

SHERAZADE — Ninguém a conhecia antes, você não a leu em parte alguma, ela se formou em sua mente. É sua!

BORGES — Quando ela surgiu, clara e precisa, pensei: essa palavra é anterior à criação da linguagem, anterior ao surgimento da palavra. Uma palavra sem etimologias, sem raízes, vinda da eternidade, de um tempo em que o tempo não existia. Formosa como uma nota musical. Perfeita, a palavra das palavras. Mas por que veio e se foi?

Ouvem-se os rugidos dos tigres, cada vez mais inquietos e altos. O barulho do vento que vai aumentando.

BORGES — Os tigres cheiram mal. Sempre tentaram me deter. Nos sonhos, sempre me atacaram. Onde estarão?

SHERAZADE — Não ouço tigres.

FUNES — Nem eu.

BURTON — De que tigres está falando?

BORGES — "Tyger! Tyger! What immortal hand or eye could frame thy fearful symmetry?"

Começa o ruído de uma grande ventania. Tempestade de areia, fortes ruídos. Borges desaparece no meio dela.

SHERAZADE — Borges sumiu.

BURTON — Desapareceu? Como vai andar sozinho no deserto?

SHERAZADE — Funes estava com ele.

BURTON — Esta é uma parte difícil da travessia, a do labirinto em linha reta.

SHERAZADE — Ele sabia que entraríamos nessa região? Se sabia, preferiu não atravessar. Odeia labirintos em linha reta.

BURTON — E se não o encontrarmos mais?

SHERAZADE — Acabou a viagem?

BURTON — Aqui estamos sobre terreno movediço e incerto. É o Recanto das Perguntas Não Respondidas. Observem, não estamos sobre areia e sim sobre milhões de perguntas feitas desde o início da humanidade.

SHERAZADE — Imaginei que as perguntas sem respostas estivessem todas em Babel.

BURTON — Estão! Assim como as respostas sem perguntas.

SHERAZADE — Aqui é o lugar ideal para Borges apanhar a pergunta irrespondível, a fim de apresentar ao Bibliotecário Imperfeito, na porta de Babel.

Burton começa a pegar papeizinhos. Vai lendo.

BURTON — Perguntas, perguntas! Vejam esta! O que é o Anfisbena?

Todos se entreolham.

BURTON — Outra: quais são os animais esféricos?

Todos novamente se entreolham com prazer no jogo.

BURTON — E uma terceira, magnífica! Qual é o peixe que se mantém sobre uma água sem fundo, sendo que sobre o peixe está um touro, em cima do touro há uma montanha de rubi e sobre a montanha há um anjo, e sobre o anjo seis infernos, e sobre os infernos a terra, e sobre a terra os setes céus? (*O Livro dos Seres Imaginários*, p. 21, 24 e 46). Chegamos ao fim do labirinto?

SHERAZADE — Estamos nele há 77 noites. Borges desapareceu há 14 noites.

BURTON — Como você conta o tempo?

SHERAZADE — Aprendi a contar as noites.

BURTON *(insinuante)* — Poderíamos contar juntos as noites... Penetramos agora na Planície das Recordações que Trazem Recordações das Recordações.

SHERAZADE — Olhe! Gente de cabeça para baixo voando sobre nós.

BURTON — Borges temia duas coisas nesta viagem. O Catoblepas e o devorador de sombras. O primeiro é um búfalo negro com uma cabeça de porco que vai até o chão. Quem vê os olhos dele morre. O devorador de sombras é crocodilo, leão e hipopótamo. Milênios atrás, os povos do mundo dos espelhos tentaram criar em cativeiro os devoradores de sombras para aumentar o poder de seus exércitos.

SHERAZADE *(preocupada)* — O que terá acontecido com ele? Sem Borges, tudo perde o sentido.

Blecaute. Funes e Borges.

FUNES — Estou enganado, ou estamos perdidos? Como vamos encontrar o caminho? E onde estão os outros?

BORGES — Na Planície das Perguntas Não Respondidas.

FUNES — E como chegar, sendo você cego e eu sem saber onde estamos? Não tenho a memória desse lugar dentro de mim.

BORGES — Seguindo o barulho das águas que murmuram debaixo da areia.

FUNES — O desconhecido é inesgotável, Borges, você tem razão!

BORGES — Para chegarmos onde os outros estão, teremos de dar uma imensa volta.

FUNES — Por quê? Parece que estamos andando em círculos no deserto.

BORGES — Esta rota vai dar direto na Cidade dos Imortais.

FUNES — Andamos sempre de noite, agora é dia. E estamos sós, os dois!

BORGES — Tenho pensando muito em Alicia, lá em Buenos Aires. Ela ficou preocupada com esta viagem. A aflição me atinge e me enche de culpa: deveria tê-la trazido? Mas alguma coisa me dizia que não. *(Faz uma pausa, pensativo, a cabeça longe.)* Está muito quente. Transpiro, me acabo! Não sei se devemos continuar a andar de dia.

FUNES — Olhe as dunas amarelas. Ficaram marrons de repente.

BORGES — Agora estão vermelhas. Rubras.

FUNES — Incandescentes. O que são aquelas construções estranhas?

BORGES — Passamos pelas ruínas circulares. *(Ouvem o trote de um animal.)*

FUNES — Vejo um bicho que é "maior que um asno e menor que uma mula".

BORGES — Deixe-o se aproximar. *(Faz uma pausa, ouve-se um trotar.)* Demorei a reconhecer o Burak, a montaria celeste, a que teria levado o profeta para o céu... Essa luz sobre a areia. Uma luz azulada. Nos anos 40 encontrei a Cidade dos Imortais.

FUNES — Encontrou?

BORGES — "Por um caos de sórdidas galerias cheguei a uma vasta câmara circular, apenas visível. Havia nove portas naquele porão; oito davam para um labirinto que falazmente desembocava na mesma câmara; a nona (através de outro labirinto) dava para uma segunda câmara circular, igual à primeira. Ignoro o total de câmaras; minha desventura e minha ansiedade as multiplicaram. *(Borges arqueja, falou rápido, emocionado, perdeu a respiração.)* O silêncio era hostil e quase perfeito; outro rumo não havia nessas profundas redes de pedra além de um vento subterrâneo, cuja causa não descobri" (O Imortal, em *O Aleph*, *OC* I, p. 597).

FUNES — Percorreu-a inteira?

BORGES — A Cidade dos Imortais me atemorizou e repugnou. "Esta cidade, pensei, é tão horrível que sua mera existência e perduração, embora no centro de um deserto secreto, contamina o passado e o futuro e, de algum modo, compromete os astros. Enquanto perdurar, ninguém no mundo poderá ser valoroso ou feliz" (O Imortal, em *O Aleph*, *OC* I, p. 597). Estou cansado, agora, muito cansado. A palavra valerá a pena? Tenho pressentimentos estranhos!

(Eles andam e pisam na borda de um terreno branco. Ouvem um grito e um homem se levanta. É um Cartógrafo Perfeito. A cena foi inspirada no texto "Do Rigor na Ciência", atribuído a Suárez Miranda, Viajes de Varones Prudentes, *no volume II das* Obras Completas *em português.)*

CARTÓGRAFO — O que fazem aqui?

BORGES — Precisamos atravessar.

CARTÓGRAFO — Por aqui? Nunca! Vão destruir todo o trabalho.

BORGES *(curioso)* — E que trabalho é esse? Onde estão os trabalhadores?

CARTÓGRAFO — Somos os Cartógrafos Perfeitos. Fomos chamados para construir o mapa mais perfeito da terra. O que vocês estão vendo são os Cartógrafos, vestidos de branco, deitados cada um sobre o pedaço de terreno que lhe cabe cartografar.

BORGES *(humilde, mas cheio de curiosidade. Quer ver aquele trabalho)* — E se andarmos com cuidado entre um homem e outros?

CARTÓGRAFO — Impossível. Cada homem aqui tem um trecho de 10 centímetros por 10. Cada trecho se liga ao do sujeito ao lado. De maneira que quando um termina a cartografia, a entrega e o trabalho dele é colocado junto ao outro, para a montagem total.

FUNES — Um quebra-cabeças?

CARTÓGRAFO — Digamos que sim...

BORGES — Os que vêm atrás não prejudicam o terreno, passando com o corpo por cima?

CARTÓGRAFO — Esse é um problema que vem preocupando e está sendo analisado há séculos.

BORGES — Séculos? Há quanto tempo estão aqui?

CARTÓGRAFO — Mais de três mil anos. Às vezes, acabamos de montar um trecho e alguém constrói um castelo, uma muralha, uma ponte... Tínhamos pronta a China inteira, quando a muralha foi feita. Perdemos tudo.

BORGES — E se uma formiga passa pelo trecho, depois que ele foi registrado?

CARTÓGRAFO — Tem de ser refeito.

BORGES — E se um coelho surge num buraco?

CARTÓGRAFO — Tem de ser refeito.

FUNES — E se alguém espirra e a poeira levanta?

CARTÓGRAFO — Trabalho perdido.

BORGES — E quando venta?

CARTÓGRAFO — Tudo perdido.

BORGES — Essa é a dificuldade de se obter a perfeição?

CARTÓGRAFO — De dois mil anos para cá temos discutido se a perfeição existe.

BORGES — E...?

CARTÓGRAFO — Temos de procurá-la, até obter uma resposta.

FUNES — E as tempestades de areia? Não são freqüentes?

CARTÓGRAFO — Aqui é o limite do deserto.

BORGES — O que vem depois?

CARTÓGRAFO — Depois de nós, a trilha que dá na Planície das Perguntas Não Respondidas.

BORGES — Para onde devo ir. Precisamos atravessar.

CARTÓGRAFO — Impossível. Terão de esperar.

BORGES — Quanto tempo?

CARTÓGRAFO — No mínimo, mil anos.

BORGES — Não podemos ficar parados aqui. Não posso esperar mil anos.

CARTÓGRAFO — Todos podem.

BORGES *(desanimado)* — Andamos tanto para nada?

CARTÓGRAFO *(mostrando compaixão pela desolação de Borges)* — Talvez haja uma solução. Vocês são muito pesados?

FUNES — Não peso nada, sou apenas memória.

BORGES — Talvez eu pese um pouco!

CARTÓGRAFO — Então, passem por cima de nós.

BORGES — Não posso pisar nas pessoas.

FUNES — Pode sim! Se for preciso, vai ter de pisar!

Borges e Funes se entreolham. Demoram um pouco e decidem. Começam a andar sobre o pano branco. A cada passo se ouve um débil grito. Ou um grito forte.

BORGES — Fico inquieto de vez em quando. Tem sentido essa jornada?

BURTON — Quer desistir? Cansou-se das viagens? Desista. Para que insistir?

BORGES — Penso apenas que seria "muito triste viajar em vão".

Ouve-se um gemido dolorido. Um gemido que congela a pessoa. Voz de mulher que sofre uma dor agoniante.

SHERAZADE — Outra vez. É insuportável. Fico arrepiada cada vez que esse animal grita.

BORGES — Não é um grito. A Banshee não é um animal.

FUNES — O que é então?

BORGES — É um som!

FUNES — E de onde vem?

BORGES — Do nada.

SHERAZADE — Como do nada?

BORGES — É um espírito.

SHERAZADE — Espírito do quê? Alguém que sofre?

BORGES — Um espírito cheio de angústia.

SHERAZADE — É insuportável.

BURTON — Esses gemidos destroem a gente.

BORGES — São apenas um grito anunciador. Não existem, mas acreditamos nele. Às vezes, anunciam a morte.

A Banshee uiva uma vez mais, prolongadamente, todos se encolhem. De repente, todos têm uma sensação de que a terra tremeu. Conseguir o efeito, talvez, pelo piscar de luzes.

SHERAZADE — Sentiram? Tudo sacudiu?

BURTON — Pareceu-me um leve terremoto.

SHERAZADE — Nessa parte do deserto? Vivi a vida inteira no deserto e nunca soube de um terremoto, nem ouvi falar nas histórias que se contam e que contei.

BORGES — O que você não sabe é que este deserto foi criado pela ilusão dos espelhos.

SHERAZADE — Como? O que é?

BURTON — O deserto que estamos atravessando fica longe daqui. Só que está aqui porque foi trazido pelos reflexos dos espelhos no mar. Não estamos no deserto. Estamos no mar.

SHERAZADE *(descrente)* — Então, como saber que imagem é esta? Por que não ouvimos o barulho do mar?

BORGES — O lamento da Banshee não deixa.

Ouve-se uma pancada forte, assustadora, depois vem o ruído sonoro de vidros sendo estilhaçados. Um barulho que se prolonga e vai se distanciando.

BURTON — Desta vez vão conseguir. Não há como escapar, Borges.

BORGES — Os povos guerreiros do mundo dos espelhos! Temíveis! Degoladores. Temos inimigos pelos dois lados, agora. Romperam duas barreiras.

FUNES — Quantas faltam?

BORGES — Ah! Se soubéssemos quantas barreiras o Imperador Amarelo ergueu para contê-los aprisionados! Eles continuam tentando?

BURTON — Há séculos. Sempre que alguém passa por aqui.

FUNES — Eles quem?

BORGES — Os povos do mundo dos espelhos.

FUNES — O que querem?

BURTON — Nos invadir, é claro!

SHERAZADE *(olhando para Borges, interrogativa)* — E se vierem?

BORGES — Assim que atravessam os espelhos desaparecem. São reflexos. Não sem antes nos transformarem também em reflexos.

FUNES — Esses povos foram derrotados quando, onde?

BORGES — Foi há muito! Muito tempo mesmo! Invadiram a terra e foram derrotados pelo Imperador Amarelo. Tiveram de bater em retirada, voltando aos espelhos. Só que transformados em reflexos para sempre.

FUNES — Como o Imperador combateu os reflexos?

BORGES — Com artes dos mágicos. Naquele tempo, os povos dos espelhos ainda não eram reflexos, eram normais. Nosso mundo e o dos espelhos viviam em harmonia, eles vinham aqui, nós entrávamos lá. Para entendê-los levavam-se espelhos especiais que ouviam as palavras e invertiam.

FUNES — Espelhos que ouviam?

BURTON — Na Galeria de Espelhos existem dezenas de espelhos que ouvem.

BORGES — Os espelhos que ouviam eram uma das maiores artes mágicas do Imperador Amarelo. Os povos do mundo dos espelhos. Não sabia que nossa rota estava no caminho deles.

FUNES — Como os povos dos espelhos foram derrotados?

BORGES — O Imperador Amarelo conseguiu neutralizar os espelhos. Alguns enegreceram. Outros foram transformados em biombos de papel-arroz. Os contingentes diminuíram. Os que eram reflexos desapareceram. Os guerreiros verdadeiros se transformaram em reflexos. A guerra acabou.

SHERAZADE — Mas passaram tantos anos desde que tudo isso aconteceu. E se eles se refizeram? Voltaram a ser um povo? Deixaram de ser reflexos, ou duplos, ou imagens ao contrário dentro de um espelho? O que será de nós?

BORGES — "Noite após noite o mesmo pesadelo/ noite após noite o austero labirinto" (Eclesiastes, 1,9, *OC* III, p. 338).

BURTON — Ninguém conhece o caminho deles. O que se sabe, na Biblioteca, é que os povos dos espelhos vêm empurrando sutilmente barreiras, aumentando os limites do mundo deles. O deserto foi reduzido, mas ninguém percebe, porque os espelhos refletem um espaço infinito. E falso.

SHERAZADE — Pois lá onde estou, no Hexágono Carmesim, se diz que eles avançaram as fronteiras em toda a terra. Mais da metade do mundo hoje é um mundo refletido, sem que as pessoas saibam.

FUNES — É melhor nos apressarmos, nos afastarmos. E se os líderes do mundo dos espelhos descobriram finalmente a forma de penetrar em nosso mundo?

BORGES — Os espelhos me perturbam. Desde a minha infância.

SHERAZADE *(dançando)* — Sempre adorei espelhos, gosto de me ver neles, dançar em frente. O sultão me pedia para dançar sem véus...

BURTON *(malicioso, excitado)* — ... Sem véus, nua?

SHERAZADE *(querendo provocá-lo)* — Nua, diante de mil e um espelhos. Montei um labirinto infinito, de maneira que aparecia uma multidão de Sherazades nuas.

BORGES — Infinito... Cuidado com essa palavra.

BURTON *(impaciente)* — Essa história não foi narrada em livro algum.

SHERAZADE — O sultão pensava que todas as Sherazades pertenciam a ele. Jamais alguém tinha tido um harém daquele tamanho. Pobre coitado. Não via que era um harém de reflexos. Uma só Sherazade era verdadeira, eu. Me quis muito, aquele homem. Uma noite, a de número 2.066, ele correu entre os espelhos para me violentar. Os eunucos tentaram me defender, foram degolados um a um. O sultão não suportava mais, gritava: "Não quero mais ouvir histórias, quero você! Quando esse suplício vai terminar?" E não me encontrava. Suas mãos atravessavam meus reflexos. Eu ria, dançava, provocava e ele urrava, espumava de ódio e desejo e chamava os guardas. Também os guardas se multiplicavam, se confundiam, se agarravam uns aos outros. Todos foram enlouquecendo sem poder sair do labirinto. Fugi. Deixei minhas imagens refletidas com eles!

FUNES — E se as tuas imagens ficaram do lado de lá, no mundo dos espelhos e agora procuram sair? E se a verdadeira ficou lá e a que está aqui é o reflexo?

SHERAZADE — Será que eu sou um reflexo?

BORGES — Os reflexos ao atravessarem os espelhos desaparecem. Fica a imagem verdadeira. Você, se for verdadeira, permanecerá.

SHERAZADE — Ah... não entendi, mas prefiro que não venham. Se houver confusão, como saber quem sou eu e quem são os reflexos?

Novamente barulhos ensurdecedores de pancadas e vidros estilhaçados. Parecem mais próximos. Ouvem-se os tigres rugindo cada vez mais forte. Novamente o barulho estridente de vidros estilhaçados. O barulho é grande dessa vez. Gritos humanos. Depois, silêncio total, menos Bartleby. Luz cai de novo, acende. Um telão espelhado cai, refletindo a platéia.

BORGES — Vocês são o reflexo ou o mundo real? Existem ou são apenas imagens? Estão aqui ou vocês são os duplos que toda pessoa possui? E se vocês estão em casa? E se este é o lado verdadeiro e a platéia apenas o reflexo? E se ao apagarmos as luzes vocês desaparecerem?

Desaparece o telão. Eles estão diante da Biblioteca de Babel.

BURTON — Chegamos.

SHERAZADE — A Biblioteca de Babel? Quer dizer que estava por trás do mundo dos espelhos?

BORGES — Ou era apenas o reflexo do mundo dos espelhos?

FUNES — Miragem? Desertos produzem miragens! Ou um sonho?

BORGES — "É ou não é/ o sonho que esqueci/ antes da aurora?" (Dezessete Haiku, *OC* III, p. 373).

BURTON — Aqui estamos!

BORGES *(emocionado, feliz)* — Babel! *(Emocionado.)* Bibliotecas. A de Assurbanipal, de Nínive, Rodes, Pérgamo, de Trajano, de Cassiodoro, Damasco, a al-Aqsa, em Jerusalém, a da Corte Persa, a de Cosimo, a do Vaticano, a Nacional de Buenos Aires, a Miguel Cané, a Biblioteca Britânica, a de Harvard, a Boston Atheneum... A de Alexandria...

Esperam. Esperam. Em silêncio. Borges senta-se em uma pedra e apóia o queixo na bengala. A noite escurece mais.

BORGES — Sabem que chegamos?

BURTON — Espero que sim.

BORGES — Virão?

BURTON — Virão. Cedo ou tarde virão. Preparou a pergunta?

BORGES — Será difícil ele sair desta. Quem vai nos receber?

BURTON — Não tenho idéia.

O palco se ilumina e vemos atrás de Borges e Sherazade o Bibliotecário Imperfeito.

BIBLIOTECÁRIO IMPERFEITO — Só vim agora, porque essa porta jamais foi aberta, apesar de existir desde o início da Biblioteca. Mal consegui localizá-la. *(Sem estender a mão.)* Sou o Bibliotecário Imperfeito.

BORGES — Imperfeito? Como eu?

BIBLIOTECÁRIO IMPERFEITO — Imperfeito porque não li todos os livros. A cada momento, quando penso que li tudo, milhares de páginas e de personagens são despejados aqui e se recomeça tudo. Bilhões de palavras para controlar, catalogar, fiscalizar, saber se são verdadeiras, dissimuladas, fraudes, embustes. Temos de comparar traduções, as literais, as ruins e as boas e aquelas que se chamam transcriações...

FUNES — Demorou para abrir. E a gente esperando...

BIBLIOTECÁRIO IMPERFEITO — Demorou? O que quer dizer?

FUNES — Levou muito tempo para abrir, estamos esperando há semanas.

BIBLIOTECÁRIO IMPERFEITO *(perplexo)* — Não temos as mesmas medidas de tempo. Posso até dizer que o tempo não conta aqui. Recebemos poucos visitantes, raros.

BURTON — Então, para que a porta?

BIBLIOTECÁRIO IMPERFEITO *(surpreso com a pergunta, sem ter como responder, desconversa)* — Ah! Também procurava as normas para se entrar.

BURTON — Se não recebem visitantes para que normas para entrar?

BIBLIOTECÁRIO IMPERFEITO — Na Biblioteca estão as coisas criadas e as não criadas. Coisas novas surgem a cada momento.

BORGES — E como administram...?

BIBLIOTECÁRIO IMPERFEITO — O que há aqui é "uma natureza caótica e disforme... léguas de insensatas cacofonias, de confusões verbais e de incoerências" (A Biblioteca de Babel, *OC* I, p. 518). O que desejam?

BORGES — Viemos recuperar uma palavra.

BIBLIOTECÁRIO IMPERFEITO — Uma palavra? Há tantas no mundo.

BORGES — Criei uma palavra perfeita. Mas ela me escapou.

BIBLIOTECÁRIO IMPERFEITO — Perfeita? Não me digam que vieram buscar o Nome Secreto? Têm idéia de onde está essa palavra?

BORGES/BURTON — Saberemos encontrar, trabalhamos com palavras há muitos anos.

BIBLIOTECÁRIO IMPERFEITO — Muitos anos. Vocês têm obsessão com o tempo!

FUNES — Porque temos pouco. Estamos com pressa.

BIBLIOTECÁRIO IMPERFEITO — Pressa? A pressa não existe.

FUNES — Digamos, gostamos de acelerar o uso do tempo.

BIBLIOTECÁRIO IMPERFEITO — Nem sei se o tempo existe.

BORGES — É o infinito, portanto?

BIBLIOTECÁRIO IMPERFEITO — Se o tempo não existe, não existe o infinito.

BORGES — O infinito acaso é produzido pela total ausência de tempo?

BURTON *(impaciente)* — Eles costumam ficar nesses jogos sem sentido, cozinhando em água fria. Estão apenas investigando o que somos e quem somos. *(Para o Bibliotecário Imperfeito.)* Quer saber? Precisamos entrar! Logo! Já!

BIBLIOTECÁRIO IMPERFEITO — Há um ritual. E normas. Sabem a regra? Farei uma pergunta, um de vocês dará a resposta e me fará uma pergunta.

BORGES — Uma pergunta para cada um?

BIBLIOTECÁRIO IMPERFEITO — Sim. Quem responde?

BURTON, SHERAZADE, FUNES — Ele, Borges.

BORGES — Eu. É apenas uma pergunta? Uma para você, uma para mim?

BIBLIOTECÁRIO IMPERFEITO — Justo. Não mais de uma?

BORGES — Quem faz a primeira?

BIBLIOTECÁRIO IMPERFEITO — Eu. Qual é a velocidade de uma flecha em movimento?

Borges pensa. Parece indeciso.

BORGES — O movimento não existe.

BIBLIOTECÁRIO IMPERFEITO — Por quê?

BORGES — Essa é a segunda pergunta. Não preciso responder. No lugar de uma pergunta você deveria ter dito: explique. Eu seria obrigado a explicar.

BIBLIOTECÁRIO IMPERFEITO — Saberia?

BORGES — Já é a terceira pergunta... Agora é a minha vez. Aquiles apostou corrida com a tartaruga. A tartaruga ganhou. A velocidade dessa corrida está expressa na fórmula: 10 + 1 + 1 sobre 10 + 1 sobre 100 + 1 sobre 1.000 + 1 sobre 10.000 e assim por diante, numa soma infinita. Qual será o trajeto de Aquiles?

Deve-se projetar a fórmula expressa em termos matemáticos.

BIBLIOTECÁRIO IMPERFEITO — Aquiles?

BORGES — O herói da Guerra de Tróia! A Ilíada se inicia com a disputa entre ele e Agamenon. O que você andou lendo? Assim, nunca sairá de Imperfeito!

BIBLIOTECÁRIO IMPERFEITO *(desconcertado)* — Preciso de tempo para pensar.

BORGES — O tempo não existe para vocês... Tempo?

BIBLIOTECÁRIO IMPERFEITO — Essa é uma segunda pergunta à qual o senhor não tem direito.

BORGES — Então, responda a primeira e única.

BIBLIOTECÁRIO IMPERFEITO — Não sou bom em cálculos.

BORGES — Ajudaria se tivesse trazido a Mesa de Salamina para fazer os cálculos... Ou viesse acompanhado por matemáticos como Euclides, Nicômaco de Gerasa, Diofanto de Alexandria, Bhâskara, Jost Burgi e suas frações decimais, Gauss, Fourier, Kurt... Não posso esperar. Tenho quase 87 anos.

BIBLIOTECÁRIO IMPERFEITO — O senhor sabe, desde que a viagem começou, que as idades foram canceladas.

BORGES — Verdade. Burton me avisou.

BIBLIOTECÁRIO IMPERFEITO — De qualquer maneira, para entrar o senhor precisa de um condutor hierarquizado.

BORGES — Condutor? Palavra mais antiga!

BIBLIOTECÁRIO IMPERFEITO — Criptólogos, decifradores ambulantes, inquisidores, decodificadores, especialistas em percorrer o infinito, medidores do eterno, construtores de degraus para as escadas?

BORGES — Bem, trouxe Burton, Funes, Sherazade.

BIBLIOTECÁRIO IMPERFEITO — Quem?

BORGES — Pessoas e personagens que vivem há muito na Biblioteca e saíram para me ajudar.

BIBLIOTECÁRIO IMPERFEITO — Teriam ajudado mais se ficassem dentro, procurando.

BORGES — Saíram para me orientar. Sabem como entrar, atravessar os muros.

BIBLIOTECÁRIO IMPERFEITO — Que muros? Nossos muros não têm tijolos, pedras. Não existem, mas é impossível atravessá-los.

BORGES — Quanta complicação! Para quê? Confundir?

BIBLIOTECÁRIO IMPERFEITO — Aqui existem normas regulamentos, instituições, "discrepâncias, escadas, galerias hexagonais, poços de ventilação, longas prateleiras. Há vestíbulos, cômodos semelhantes ainda que opostos, espelhos que duplicam, frutas esféricas fornecendo luz, paradoxos, contradições, falsos signos, disparates. Deparamos com signos verdadeiros e dissimulados, iídiche que se assemelha a português, escadas sem degraus, degraus sem escadas, cômodos desiguais ainda que semelhantes, buracos que não dão em lugar nenhum, salas sem entradas e saídas. Milhares de livros sem páginas, páginas sem letras, escritas sem palavras" (A Biblioteca de Babel, *OC* I, p. 522). E, em alguma estante, em algum lugar, aquele que todos procuram. O Livro Perfeito, o que reúne todos os livros e ao qual falta uma única palavra para se completar. Uma palavra nunca encontrada. Porque então teremos o Livro Mais Que Perfeito.

BORGES — Preciso somente de uma palavra.

BIBLIOTECÁRIO IMPERFEITO — Preciso, preciso! Pare de repetir. Já sei!

BORGES — Tudo o que desejo é uma. Pequena, de oito letras. Criei e preciso dela para continuar a existir.

BIBLIOTECÁRIO IMPERFEITO — As palavras nos pertencem.

BORGES — Mas são de todos.

BIBLIOTECÁRIO IMPERFEITO — Nem todas.

BORGES — Uma é minha.

BIBLIOTECÁRIO IMPERFEITO — Sua! Por que reivindica a posse de uma palavra quando todas podem se acabar de um momento para outro?

BORGES — Acabar? Quem vai acabar com as palavras?

BIBLIOTECÁRIO IMPERFEITO — Continua forte a pressão da Academia de Línguas de Balnibarbi querendo impor o projeto de acabar com as palavras, porque fazem mal à saúde das pessoas. A humanidade está ameaçada de extinção se continuar a falar.

BORGES — Gulliver me alertou.

BIBLIOTECÁRIO IMPERFEITO — Os bibliotecários de Babel estão muito cansados, muito. São tantas palavras, letras, línguas, livros, personagens, gírias. Não existe nenhuma unidade, nenhum eixo, nenhum princípio que ligue as situações e pensamentos. Os bibliotecários estão exaustos, ficando cegos... mudos... sofrem colapsos e por isso fazem confusões, cometem erros.

BORGES — Cegos? Será o destino dos bibliotecários?

BIBLIOTECÁRIO IMPERFEITO — O que se comenta é que recolher a sua palavra foi parte do movimento de extermínio. Uma experiência. Nem sei se é verdade ou desculpa.

BORGES — Provavelmente uma fissura, uma brecha na estrutura tenha deixado a palavra se soltar e penetrar em minha mente.

BIBLIOTECÁRIO IMPERFEITO — A brecha na abóbada celeste. Como sabe dela? É um segredo.

BORGES — Segredo? Li em *O Sonho do Quarto Vermelho,* de Hsue Kin, um livro do século XVII. Ele alertou para a fissura (*O Sonho do Quarto Vermelho*, *OC* IV, p. 380).

BIBLIOTECÁRIO IMPERFEITO — Tsao Hsue Kin "descobriu a avaria, um buraco no firmamento. E procurou uma pedra celestial que conseguisse soldar a fissura, sem no entanto conseguir". Por ali escapam muitas coisas.

BORGES — Sabem da fissura e não consertam?

BIBLIOTECÁRIO IMPERFEITO — No giro do universo ela muda de lugar, constantemente. Aparece e desaparece!

BORGES — Assim a palavra chegou até mim!

BIBLIOTECÁRIO IMPERFEITO — De maneira que pensa ser sua!

BORGES — Ao menos quero usá-la antes de todos.

BIBLIOTECÁRIO IMPERFEITO — Pensa que as palavras são como as terras? Chega e coloca uma bandeira em cima?

BORGES — Só quero usá-la antes dos outros.

BIBLIOTECÁRIO IMPERFEITO — Por vaidade?

BORGES — Por direito!

BIBLIOTECÁRIO IMPERFEITO — Direito? Quem o senhor pensa que é?

BORGES — Sou Borges.

BIBLIOTECÁRIO IMPERFEITO — Jorge Luis Borges?

BORGES — Sim!

BIBLIOTECÁRIO IMPERFEITO — Não! Não é!

BORGES — Sou Jorge Luis Borges.

BIBLIOTECÁRIO IMPERFEITO — Nem de longe. Já foi!

BORGES — Já fui? O que quer dizer? Quem sou?

BIBLIOTECÁRIO IMPERFEITO — O duplo.

Borges *(descrente)* — O duplo?

BIBLIOTECÁRIO IMPERFEITO — O Outro!

BORGES — Não sou Borges, sou o duplo? Então, onde está o Borges real?

BIBLIOTECÁRIO IMPERFEITO — Boa pergunta. Onde está o Borges real?

BORGES — Sou o Outro. O que mais me dá medo, me horroriza. Então, essa viagem foi para nada?...

BIBLIOTECÁRIO IMPERFEITO — O senhor pensa que foi para nada.

BORGES — Não posso ficar aqui conversando, conversando. Está na hora! Qual é a minha porta? Por favor!

BIBLIOTECÁRIO IMPERFEITO — Se eu fosse um "demiurgo malévolo", porque aqui existem muitos, indicaria a porta errada. E te salvaria.

BORGES — Me salvaria?

BIBLIOTECÁRIO IMPERFEITO — Ainda há tempo. Desista. Ouça, desista, abandone essa obsessão.

BORGES — Não posso, não posso.

BIBLIOTECÁRIO IMPERFEITO — A porta certa pode não ser a melhor.

BORGES — Por que tantos enigmas? Desde que aqui cheguei deparo com enigmas, charadas, dissimulações. Por que a porta certa não será a melhor?

BIBLIOTECÁRIO IMPERFEITO — Nela, o senhor entraria em hexágonos onde "os livros não têm sentido". Em cômodos onde "livros não têm a terceira linha". Daria com "livros impenetráveis", em línguas que jamais serão criadas. Isso se não penetrasse no Portal dos Homens de Um Lado Só.

BORGES — Homens de um lado só?

BIBLIOTECÁRIO IMPERFEITO — Perigosos, traiçoeiros. De costas e ninguém os vê. Viram, você vê o outro lado. Então, atacam! Podem estar ao seu lado agora!

BORGES — A porta, a porta, por favor!

BIBLIOTECÁRIO IMPERFEITO — Infelizmente sou obrigado a deixá-lo entrar. Escolha. Uma é a sua.

BORGES — Uma? Funciona aqui o sistema único? Uma pergunta, uma porta!

BIBLIOTECÁRIO IMPERFEITO — Se abrir a porta que não é a sua, ao entrar não poderá sair.

BORGES — Pensei que minha viagem tinha acabado. Era chegar e entrar.

BIBLIOTECÁRIO IMPERFEITO — Até aqui foi fácil. Até aqui o senhor foi perseguido pelo seu próprio imaginário. Sabe o que a palavra representa e tem medo. Conheceu o que não devia.

BORGES — Ainda não conheci.

BIBLIOTECÁRIO IMPERFEITO — Abra a sua porta, senhor! Se entrar na sala errada vai ver que a porta de saída está tão longe, tão distante, que a caminhada de muitas vidas não será suficiente.

BORGES — E na porta certa?

BIBLIOTECÁRIO IMPERFEITO — Depois de atravessar o Harém de 114 mulheres cegas se verá conduzido ao Rosto Resplandecente. Essas mulheres tentarão retê-lo com promessas abomináveis.

BORGES — Promessas abomináveis. Como as sereias de Ulisses.

BIBLIOTECÁRIO IMPERFEITO — Elas jamais tiveram um homem cego, você será o primeiro.

BORGES — Funes! Funes! Onde se meteu? A porta. Decidir qual é. Poder abrir, mas não abrir errado.

SHERAZADE — Quando a última mulher do Barba Azul abriu a porta proibida, deu com o chão do gabinete recoberto de sangue. Nesse sangue, que brilhava como espelho, ela viu refletidos os corpos das muitas mulheres assassinadas pelo marido. E percebeu que elas estavam presas nas paredes. Teve muito medo e deixou cair a chave. Apanhou-a e correu para limpá-la. O sangue não saía de jeito nenhum. A mancha a denunciou ao Barba Azul que decidiu matá-la também por ter desobedecido à ordem de entrar no gabinete proibido (*O Barba Azul*, Charles Perrault).

BORGES — O que me impressiona nessa história é o chão tornado espelho com o sangue das mulheres mortas. Funes, Funes. Me deixaram sozinho.

Borges apalpa cada uma das fechaduras com seu tato sutil de cego. A cena pode ser demorada, ele com a bengala. Volta e finalmente pára diante de uma das fechaduras.

BORGES — É esta.

SHERAZADE — Tem certeza?

BORGES — A certeza de um cego que sempre soube ver.

A porta se abre.

BORGES — Agora vou poder falar direto com o Perfeito Bibliotecário?

BIBLIOTECÁRIO IMPERFEITO — Ninguém tem acesso a Ele. Daqui para a frente vai esquecer tudo o que sabe.

BORGES — Como esquecer?

BIBLIOTECÁRIO IMPERFEITO — Serão fechadas, canceladas todas as portas da memória. Nove sombras vão conduzi-lo. Veio em busca do que não tem o direito de usar.

BORGES — Por que não posso falar com Ele?

BIBLIOTECÁRIO IMPERFEITO — Ninguém pode contemplá-lo.

BORGES — Sou cego.

BIBLIOTECÁRIO IMPERFEITO — Aqui, todos vêem! O senhor nunca foi cego. Fez o mundo acreditar que era.

BORGES — "Deus, com magnífica ironia/ Deu-me a um só tempo os livros e a noite" (O Poema dos Dons, *OC* III, p. 313). Quero ver a minha palavra.

BIBLIOTECÁRIO IMPERFEITO — A palavra perfeita pertence a Ele. Ter essa palavra é compreendê-lo. O que o mantém é o mistério. Ele é indecifrável.

BORGES — A minha palavra o decifraria? A minha palavra... A palavra seria... seria o fogo de Prometeu? Ela me condenou?

BIBLIOTECÁRIO IMPERFEITO — Ele perderia a razão de ser.

BORGES — Me desculpe, senhor. Tenho direito a mais uma pergunta?

BIBLIOTECÁRIO IMPERFEITO *(sorri)* — Pergunte quanto quiser.

BORGES — E aquela história de uma só pergunta?

BIBLIOTECÁRIO IMPERFEITO — Esqueça! Aquela pergunta inicial não significa nada. É uma norma sem sentido estabelecida ninguém sabe quando nem por quem. Continuamos a fazê-la, diverte!

BORGES *(impaciente)* — Por que tentaram me impedir de chegar aqui? Por que tantos obstáculos?

BIBLIOTECÁRIO IMPERFEITO — Vocês é que escolheram a rota. Havia um caminho sem obstáculos.

BORGES — Havia?

BIBLIOTECÁRIO IMPERFEITO — Claro que há. A Biblioteca está em contato com o mundo, com todos os mundos, conhecidos e desconhecidos.

BORGES — Há uma rota a partir de Buenos Aires?

BIBLIOTECÁRIO IMPERFEITO — Na Calle San Martín, 108, onde funciona um banco. No piso do hall de entrada há um mapa zodiacal. É ali (*Buenos Aires, Ciudad Secreta*, Germinal Nougés, p. 253). Vocês escolheram essa rota.

BORGES *(desconsolado, incomodado)* — Nós... quem escolheu a rota foi Burton. Não nós.

Burton se afasta lentamente para o fundo de cena.

FUNES — Ele deve ter saído daqui com orientação.

SHERAZADE — Na viagem de ida, atendendo ao chamado de Borges, ele estava calado entre a Biblioteca e Buenos Aires. Antes de se apresentar a Borges passou a noite num banco da Praça San Martín...

BIBLIOTECÁRIO IMPERFEITO — Na verdade, não é um impedimento assim drástico. A Biblioteca precisa se resguardar. Muita gente está acorrendo para cá. Multidões pedem refúgio, proteção!

BORGES — Por quê?

BIBLIOTECÁRIO IMPERFEITO — Porque se "suspeita que a espécie humana – a única – está por extinguir-se e a Biblioteca perdurará" (A Biblioteca de Babel, *OC* I, p. 522). Só ela. Se o senhor leu Borges...

BORGES — Meu Deus! Sou Borges! "Lento em minha sombra, com a mão exploro/ Meus invisíveis traços" (Um Cego, *OC* III, p. 116)... *(Subitamente orgulhoso.)* Se estão vindo para cá isso pode significar que a Biblioteca será a nova Arca de Noé?... A salvação... Ou exagero?

BIBLIOTECÁRIO IMPERFEITO *(não ouve Borges)* — ... se o senhor leu, se lembra que ele assim descreveu...

BORGES *(se antecipa)* — "A Biblioteca perdurará: iluminada, solitária, infinita, perfeitamente imóvel, armada de volumes preciosos, inútil, incorruptível, secreta." Escrevi isso!

BIBLIOTECÁRIO IMPERFEITO *(tem apenas um sorriso irônico, vagamente de desprezo)* — Por que insiste?

BORGES — Está bem, mas e a minha palavra?

BIBLIOTECÁRIO IMPERFEITO — Sua?

BORGES — A que vim buscar.

BIBLIOTECÁRIO IMPERFEITO — A palavra à qual o senhor se refere não sei qual é, nem o senhor. Desconfio que não a encontrou. Supôs que ela existe e veio para cá tentando se apossar dela. Tentou montar um artifício.

BORGES *(gosta da definição)* — Um artifício...

BIBLIOTECÁRIO IMPERFEITO — Tranqüilize-se senhor. A palavra deve ter ido para o livro que ninguém tem permissão para abrir. Ou para um dos "Tomos Enigmáticos".

BORGES — Que livros são esses de que se fala tanto?

BIBLIOTECÁRIO IMPERFEITO — Um deles é o livro em branco de 999 milhões de páginas ímpares sem páginas pares. Quem colocar nele a primeira palavra será o autor que escreverá a história das histórias. A que mudará tudo.

BORGES — O livro que todos querem escrever!

BIBLIOTECÁRIO IMPERFEITO — Aquela palavra estava destinada ao livro. Para a história que conterá toda a história dos mundos existentes e não existentes. Dos mundos que ainda se encontram na imaginação das pessoas e não foram colocados para fora. A história que se encontrava nas mentes de autores que morreram e não tiveram tempo de escrevê-la.

BORGES — O livro... Esse livro. É nele que preciso chegar...

BURTON — Precisa?

BORGES — Preciso, a qualquer custo, agora.

BURTON — Não e não! Borges, Borges! Você tem a palavra. Está com você! Nunca esqueceu. Só queria chegar à Biblioteca!

BIBLIOTECÁRIO IMPERFEITO — A palavra pode ter voltado ao Livro Perfeito que se tornou Mais Que Perfeito. A sabedoria absoluta, o saber. O que ensina a obter a imortalidade.

BORGES — A imortalidade. Não quero a imortalidade.

BIBLIOTECÁRIO IMPERFEITO — Continua a intrigar como o senhor chegou à palavra! É o que investigam teólogos, filósofos, etimologistas, rabinos, cabalistas, os que conhecem a Torá, o Talmud, a Bíblia, o Alcorão, o livro branco, o livro de areia. Estão fazendo a leitura de todos os textos. São milhões, o senhor terá de esperar. *(No tom dos telefonistas do telemarketing, cadenciado, monótono decorado.)* Temos 999 investigadores, auxiliados por 999 assistentes que por sua vez contam com 999 colaboradores que contam com 999 assessores...

BORGES *(zombeteiro, irritado)* — Parece que na Biblioteca os números ficaram limitados, não chegam ao mil!

BIBLIOTECÁRIO IMPERFEITO — Não me interrompa, que me confunde. Cada um deles escudado por 999 anjos, sendo que cada um destes anjos comanda 999 seres imaginários. E cada um destes seres, se preciso for, pode se transformar em outros 999 seres. Até o infinito!

BORGES — O infinito que conduz à eternidade.

BIBLIOTECÁRIO IMPERFEITO — Todos estão debruçados sobre o Livro das Dúvidas Históricas, consultando os Tomos das Certezas Celestiais, o Manual da Lógica Detestabile, o Livro das Graças, as 999 Versões Filosóficas, o Outro, o Mesmo...

BORGES — O Outro, o Mesmo? *(Sorri.)* Sabe quem escreveu?

BIBLIOTECÁRIO IMPERFEITO — Borges.

BORGES — Eu!

BIBLIOTECÁRIO IMPERFEITO — Borges! E não me interrompa! Todos consultam os Estudos Sobre os Polígonos Com Número Infinito de Ângulos, a Biografia do Infinito, a História Inconclusa da Eternidade, Aparência e Realidade, a Arte Magna, *Outras Inquisições... Parenga und Paraliponema...*

BORGES — Qual? *Outras Inquisições? (Sorri.)* Sabe quem escreveu?

BIBLIOTECÁRIO IMPERFEITO — Borges.

BORGES — Eu.

BIBLIOTECÁRIO IMPERFEITO — Veio aqui para me irritar? E temos ainda a *Compreensão das Linhas Paralelas* de Desargues, a *Grande Idéia do Tempo e de Tudo*, o *Tratado da Cegueira* de Tirésias e o *Livro Maior Sobre o Livre Arbítrio, História Universal da Infâmia...* E ainda há milhares de livros cuja existência o senhor nem imagina...

BORGES — Se visse quantos livros eu disse existir e nunca existiram! Acho que aqui é o meu lugar...

BIBLIOTECÁRIO IMPERFEITO — Uma hipótese é de que foi nesses livros que o senhor encontrou a palavra dissimulada. Percebeu que era ela única. Onde estava e quem a colocou lá é um mistério tão grande quanto o de saber quem é Ele.

BORGES — Cheguei junto dele? O Bibliotecário Perfeito e não vi?

BIBLIOTECÁRIO IMPERFEITO — Você não chegou. Ele, Borges, sim.

BORGES *(perplexo)* — Outra vez essa história! Sou Borges.

BIBLIOTECÁRIO IMPERFEITO — Não! Você é o duplo que Borges enviou para não fazer a viagem. O que ele...

BORGES — Eu...

BIBLIOTECÁRIO IMPERFEITO — ... o que ele desejava se realizou...

BORGES — O que ele desejava?

BIBLIOTECÁRIO IMPERFEITO — Está vendo como não é ele? Fosse, se lembraria que pediu, em 1978: "Não quero continuar sendo Jorge Luis Borges, quero ser outra pessoa..." (A Imortalidade, *OC*, IV, p. 198).

BORGES — Sempre imaginei que "ao outro, a Borges, é que sucedem as coisas" (Borges e Eu, *OC* II, p. 206).

BIBLIOTECÁRIO IMPERFEITO — O que o salva é sua lucidez!

BORGES — "Minha vida é uma fuga e tudo eu perco e tudo é do esquecimento, ou do outro" (Borges e Eu, *OC* II, p. 206). Agora, está tudo claro.

BIBLIOTECÁRIO IMPERFEITO — Quer dizer que aceita ser o Outro?

BORGES *(faz que não ouviu)* — Preciso saber, antes de mais nada como sou o duplo! Quando me tornei o duplo?

BIBLIOTECÁRIO IMPERFEITO — Na Galeria dos Espelhos.

BORGES — Em que momento?

BIBLIOTECÁRIO IMPERFEITO — Antes do final, você se aproximou de um espelho e ele o mostrou de costas.

BORGES — Fiquei preocupado, Funes me orientava, não me viu mais.

BIBLIOTECÁRIO IMPERFEITO — Dentro do espelho, o duplo evitava te encarar. Assim, ficou de costas. Quando você virou de costas, o duplo saiu do espelho. Ao se voltar você penetrou no espelho, atraído por ele. Espelhos não podem ficar sem imagens. Quando vazios, sugam tudo. Você ficou, veio o seu duplo.

BORGES — Ficou tudo muito claro para mim. Não me esqueci. Não perdi a palavra. Acho que, quando a encontrei, entendi. E fiquei assustado. Quando compreendi o tamanho da descoberta, apaguei de minha mente.

BIBLIOTECÁRIO IMPERFEITO — A palavra, desconfiamos todos, saiu para ele, Borges, por meio do Aleph.

BORGES — Para mim...

BIBLIOTECÁRIO IMPERFEITO — Foi através dele que a palavra vazou. Borges viu o que não deveria ver. Não podia ver. Achou que poderia vir e contemplar o rosto dele, sem o Véu Resguardador. Mas assim que soubemos que ele tinha a palavra, mandamos Funes, o Memorioso...

FUNES — Não tive culpa, não tive culpa... Obedeci... Não mando em mim, sou personagem...

BORGES — O Memorioso... Parecia meu amigo...

FUNES — Mas não sou eu... Também sou duplo... Só que sei que sou...

BIBLIOTECÁRIO IMPERFEITO — Funes foi ter com ele, Borges...

BORGES — Comigo...

BIBLIOTECÁRIO IMPERFEITO — ... foi com a missão de apanhar a palavra e jogá-la no fundo de sua memória de onde nada mais é recuperado. Conseguiu apanhá-la, porque Borges vivia distraído quando estava sem Alicia.

BORGES — Fico mesmo, confio tanto nela...

BIBLIOTECÁRIO IMPERFEITO — Era um homem para quem a vida prática não existia, não importava. Borges costumava ditar seus poemas a um copista. Quando o poema estava pronto em sua cabeça, chamava alguém a quem ditava. Escrevia na mão, com o dedo indicador, depois ditava verso a verso. Funes tomou o lugar do copista e, ao criar um poema, Borges, sem saber, deixou a palavra sair.

BORGES — Uma vez, Alicia não podia, veio um copista que era a sua cara. Fiquei impressionado...

BIBLIOTECÁRIO IMPERFEITO — O copista, ou melhor, Funes, apanhou-a. Tinha ordens para não memorizá-la, nem sequer olhar para ela.

BORGES — Afinal, está ou não no Livro Mais Que Perfeito?

BIBLIOTECÁRIO IMPERFEITO — Não sabemos, não podemos consultá-lo!

BORGES — Funes traiu o criador. Um amigo dissimulado.

BIBLIOTECÁRIO IMPERFEITO — Quem cria quem?

BORGES — E ele?

BIBLIOTECÁRIO IMPERFEITO — Ele quem?

BORGES — Borges.

BIBLIOTECÁRIO IMPERFEITO — Admite?

BORGES — Não admito nada, estou confuso. Me diz. Para mim, que sou o outro, ele, Borges, é o outro. Certo?

BIBLIOTECÁRIO IMPERFEITO *(surpreso)* — É... certo.

BORGES — Ele sabe que estou aqui no lugar dele?

BIBLIOTECÁRIO IMPERFEITO — Voltou. Não parece preocupado.

BORGES — Está no apartamento em Maipu?

BIBLIOTECÁRIO IMPERFEITO — Não, em um lugar tranqüilo chamado Plain Palais...

BORGES — Plain Palais?

BIBLIOTECÁRIO IMPERFEITO — Parece em paz.

BORGES — Plain Palais? Plain Palais é o cemitério de Genebra!

BIBLIOTECÁRIO IMPERFEITO — Sim...

BORGES — Quer dizer que eu?...

SHERAZADE *(interrompe o raciocínio de Borges)* — Por que não conta, Funes? Por quê?

FUNES — Nada tenho a contar.

SHERAZADE — Tem e muito. Você pressentiu alguma coisa, ainda em Babel. Por que não diz que não é o outro? Que é o Funes verdadeiro e sabe do que se passou?

BORGES — Sabe o quê?

BIBLIOTECÁRIO IMPERFEITO — Sabe o que não sabemos?

Funes — Vai ver, não sabem tudo! *(Ele mostra prazer.)*

BORGES — Gosto de enigmas, sou hermético, mas as coisas estão me escapando.

FUNES — Há momentos em que posso viver por mim mesmo. Posso fazer o que quero. Não estou preso mais a sua história.

BORGES — O que quer dizer?

FUNES — Que te salvei.

BORGES — Salvou?

FUNES — Pensaram que eu era o duplo, não era. Sou o verdadeiro Funes.

BIBLIOTECÁRIO IMPERFEITO — Como escapou?

FUNES — Tenho muitos Funes dentro de mim. Todos os esboços e projetos, tentativas que Borges escreveu até me completar ficaram comigo. Busquei no fundo de mim o Funes mais próximo ao verdadeiro e o coloquei em cena. Ele fez o que eu deveria ter feito e não fiz.

BORGES — Gosto dessa história, poderia até ter escrito. Melhor, claro!

FUNES — Tudo estava armado para você ser substituído pelo seu duplo na Galeria dos Espelhos. Você de frente para o espelho, mas o espelho te mostrando de costas. Nesse momento, você seria substituído pela imagem. O espelho te sugaria. O Borges verdadeiro ficaria dentro dele. Dele sairia o duplo. Mas uma coisa foi esquecida. Ali foi a falha no plano.

BIBLIOTECÁRIO IMPERFEITO — Falha? Houve uma falha?

FUNES — Tudo funcionaria se Borges enxergasse. Qualquer pessoa, ao se ver de costas, ficaria amedrontada e daria as costas para o espelho. Ou se viraria procurando atrás dela outro espelho. Pensando que poderia ser o reflexo do reflexo. Ao se virar de costas seria feita a troca.

BIBLIOTECÁRIO IMPERFEITO — Onde a falha?

FUNES — Borges não se viu, não se virou. O espelho conservou a imagem de costas. E assim, o duplo continuou dentro do espelho. Não podia sair, aprisionado. E Borges prosseguiu a viagem, Borges aqui está. O verdadeiro, não o outro.

SHERAZADE — O que Borges fez a vida inteira? Montou armadilhas, por toda a parte. Criou ciladas sutis, desafiadoras, escamoteando, simulando, dando a entender que ia por um caminho, quando ia por outro.

BORGES — Estou fascinado com o mecanismo dos espelhos. Mas estava gostando de ser o duplo. Ser outro, sem ser Borges.

SHERAZADE — E o duplo, onde foi?

FUNES — Quando Borges saiu da Galeria dos Espelhos e partiu para a viagem, afastando-se de Buenos Aires, devolvi o duplo a Buenos Aires. Ela não podia ficar sem ele. Devolvi à Alicia e ao círculo dele. Todos temiam pela viagem. Ele estava fraco. Mas logo partiram para a Europa.

BIBLIOTECÁRIO IMPERFEITO — Então, se este aqui é o verdadeiro Borges, o que está no cemitério de Genebra, o Plain Palais quem é?

BORGES *(sorridente pela última armadilha criada)* — Quem é?

FUNES — Quem é?

SHERAZADE *(olhando para o público)* — Quem é?

É dado um tempo. E a cena é retomada.

BORGES — Agora que sou eu, vamos entrar! Ou vamos passar a eternidade aqui? Ou será que a Biblioteca não existe? Não há entrada para ela?

BIBLIOTECÁRIO IMPERFEITO — Aqui existem normas regulamentos, instituições, "discrepâncias, escadas, galerias hexagonais, poços de ventilação, longas prateleiras..."

FUNES/BURTON — Ah! De novo tudo? Não!!! Por favor!

BORGES — Deixe para lá! Então, qual é a norma? O procedimento? Não quero perder tempo, para voltar logo.

BURTON — Pensa que vai voltar?

SHERAZADE — Burton, Burton, o que você armou?

BURTON — Ninguém foge do que está determinado.

BORGES — A porta? Qual é?

SHERAZADE — Não ache a porta, Borges.

BORGES — Qual é essa porta, meu senhor?

BIBLIOTECÁRIO IMPERFEITO — À sua frente estão 9.999 portas.

FUNES — Vai ver, é a 10.000.

BIBLIOTECÁRIO IMPERFEITO — A 10.000. A inacessível. Não sabe o que ela significa? Terá de abrir uma. Apenas uma. Abrindo a certa, conhecerá sua palavra.

BORGES — Na verdade, reconhecerei.

BIBLIOTECÁRIO IMPERFEITO — Ao conhecê-la, ou, como diz, pretensiosamente, porque o senhor é teimoso, reconhecê-la, saberá por que não podia possuí-la. Ela é única, perfeita. A partir da porta não há mais volta.

BORGES — Então, ao contrário do que se disse até aqui, não é a porta errada que não tem volta?

BIBLIOTECÁRIO IMPERFEITO — Não, é a certa!

BORGES — E por que insistiam na errada?

BIBLIOTECÁRIO IMPERFEITO — Não está claro?

BORGES — Aqui falam por meio de metáforas.

BIBLIOTECÁRIO IMPERFEITO — Não é óbvio? A porta errada o conduz de novo a Buenos Aires, a sua casa na Rua Maipu, ao Rio da Prata. Mas a escolha é de cada um.

BORGES — 9.999 portas. Como no palácio imperial da Cidade Proibida na China.

BIBLIOTECÁRIO IMPERFEITO — Há uma porta a mais. É que os que aqui vieram nunca contaram. Esta a mais é a certa.

Borges caminha lentamente. Pára diante de uma porta, entre as quase dez mil que estão projetadas no ciclorama.

BORGES — É esta.

Borges hesita, mas sorri. Seu rosto é resplandecente.

SHERAZADE — Não entre, Borges.

BORGES — Por quê?

SHERAZADE — Porque, como você mesmo disse um dia, depois dela pode estar o grande talvez...

BORGES — Foi Rabelais quem disse, minha querida!

BURTON — Entre!

SHERAZADE — Não, nãaaaooo!

BORGES — Não.

SHERAZADE — Você sabe tanto quanto nós.

BORGES — "Estou cansado, vivi demasiado. Me dou conta que ultrapassei meu limite. Minha mãe, que chegou aos 99 anos, ao fazer 95 estava horrorizada e me disse: Caramba! 95? Acho que perdi a mão!" E minha avó inglesa, ao morrer, nos chamou a todos para dizer: "Sou uma mulher velha que está morrendo muito devagar. Não dramatizemos, não há nada interessante nisso, nada para se alvoroçar" (*Diálogos sobre la Vida y la Muerte*, Liliana Heker, p. 25).

Borges se coloca diante da porta e como que faz o movimento para entrar.
Luzes tomam todo o palco que fica intensamente iluminado. Luzes cegantes. Borges abandona a bengala e caminha para o centro do palco.

BORGES — É aqui.

BIBLIOTECÁRIO IMPERFEITO — Aqui você fica. E recupera a visão.

BORGES — Ficarei.

BIBLIOTECÁRIO IMPERFEITO — Vê a palavra?

BORGES — Ainda não. Mas sinto. Está em mim.

BIBLIOTECÁRIO IMPERFEITO — Você é a palavra, ela sempre esteve em você. Você finalmente chegou ao que procurou.

BORGES — E aqui, o que é? E Ele? Vou encontrá-lo?

BIBLIOTECÁRIO IMPERFEITO — Ninguém o vê, ele não tem forma.

BORGES — E que lugar é este?

BIBLIOTECÁRIO IMPERFEITO — Você o conhece apenas de fora. Nunca ninguém penetrou nele.

BORGES — Sou o primeiro?

BIBLIOTECÁRIO IMPERFEITO — Sim. Se isso o deixa feliz. Por favor, reconheça que fiz tudo, tentei impedir que o senhor entrasse.

BORGES — Por quê?

BIBLIOTECÁRIO IMPERFEITO — Daqui não sairá mais.

BORGES — Eu vi? De fora?

BIBLIOTECÁRIO IMPERFEITO — De fora.

BORGES — Um novo enigma?

BIBLIOTECÁRIO IMPERFEITO — Acabaram-se os enigmas. Você penetrou no último.

BORGES — Vi de fora, agora estou entrando. Onde vi?

BIBLIOTECÁRIO IMPERFEITO — No porão da casa de Carlos Argentino Daneri, na Rua Garay.

BORGES — O Aleph?

BIBLIOTECÁRIO IMPERFEITO — O Aleph.

BORGES — Estou dentro dele?

BIBLIOTECÁRIO IMPERFEITO — Dentro dele.

BORGES *(atrapalhado, feliz, exultante)* — Aquele que vi nos anos 40, no porão da casa de Carlos Argentino Daneri? Mais de uma década antes de eu ficar cego?

BIBLIOTECÁRIO IMPERFEITO — Aquele!

BORGES — Naquele dia, Daneri me levou ao porão, deitei-me no chão e olhei. Ali estava o Aleph, "o ponto do espaço que contém todos os pontos" (O Aleph, *OC* I, p. 686).

BIBLIOTECÁRIO IMPERFEITO — "Pequena esfera furta-cor de quase intolerável fulgor."

BORGES — Parecia giratória, "mas esse movimento era a ilusão produzida pelos vertiginosos espetáculos que encerrava".

BIBLIOTECÁRIO IMPERFEITO — "O espaço cósmico estava ali."

BORGES — "Eu via todos os pontos do universo."

BIBLIOTECÁRIO IMPERFEITO — Mas você teve de deixar o porão da casa, que logo depois foi demolida. E, desde então, começou a viagem em busca do Aleph. Toda a vida você caminhou imaginando que estivesse procurando uma palavra esquecida. Não era uma palavra. Era o todo, o tudo, o infinito, a eternidade. Sempre soubemos que você viria a Babel, o destino final. Aqui está você, Borges!

BORGES — Ah! Sou Borges! Não o duplo.

BIBLIOTECÁRIO IMPERFEITO — Os dois são o mesmo.

BORGES — E a palavra?

BIBLIOTECÁRIO IMPERFEITO — Não existe. Teve vida por um breve momento, o suficiente para te atrair, trazer para cá.

BORGES — A palavra nunca existiu?

BIBLIOTECÁRIO IMPERFEITO — Nenhuma palavra teve vida tão breve.

BORGES — Mas a Biblioteca não guarda todas as palavras, as existentes e as não existentes?

BIBLIOTECÁRIO IMPERFEITO — Dizer isso foi a maneira de atraí-lo para cá. E usamos Burton.

BORGES — A palavra não existe, mas estou dentro do Aleph! O que procurei de novo, a vida inteira, lutando contra o esquecimento. Posso ver tudo. Tudo está aqui contido. "O populoso mar, a aurora, a tarde, as multidões da América... Vejo todos os espelhos do planeta e nenhum me reflete... vejo cada letra de cada página... a noite e o dia contemporâneo... meu dormitório sem ninguém... um globo terrestre entre dois espelhos que o multiplicam... vejo tigres, êmbolos, bisões... todas as formigas da terra... vejo a engrenagem do amor e a modificação da morte..." (O Aleph). Estou no Aleph, o objeto secreto. Pertenço a ele. Como ele, tenho acesso a tudo no mundo, a todos os fatos e circunstâncias. Aqui é o infinito da eternidade, da imortalidade. A resposta.

Outro final possível:

BORGES — "Cartas obscenas, inacreditáveis ... vejo a engrenagem do amor e a modificação da morte..."

BIBLIOTECÁRIO IMPERFEITO — Agora você está no Aleph, o objeto secreto. Pertence a ele. Como ele, tem acesso a tudo no mundo, a todos os fatos e circunstâncias.

BORGES — Este é o infinito.

BIBLIOTECÁRIO — Pode ser o infinito. De que é constituído o infinito?

BORGES — A eternidade?

BIBLIOTECÁRIO — Pode ser a eternidade. O que é a eternidade?

BORGES — Ou a imortalidade?

BIBLIOTECÁRIO — As respostas você vai encontrar por si mesmo. Se elas forem necessárias!

Ou ainda uma terceira via:

BIBLIOTECÁRIO — Agora, você está no Aleph, o objeto secreto. Pertence a ele. Como ele, tem acesso a tudo no mundo, a todos os fatos e circunstâncias.

BORGES — Aqui é o infinito, a eternidade ou a imortalidade?

BIBLIOTECÁRIO — A resposta você vai encontrar por si mesmo. Se for necessário!

Ou ainda uma nova possibilidade:

BORGES — Tenho a resposta, agora sei. A vida inteira procurei a palavra que dissesse tudo, significasse tudo, exprimisse o todo, o universo, o homem, a vida, o sentido das coisas. A palavra sem arestas, sem erros, que contivesse em si todos os sinônimos, que não tivesse contrários.
Palavra que pudesse ser colocada em qualquer ponto do texto e que desse força e sentido à frase.
Uma palavra pela qual eu estivesse disposto a dar a vida. Um termo que sozinho significasse um texto inteiro, todos os textos. Um vocábulo que contivesse todos os meus textos, personagens, situações, dúvidas, buscas, questionamentos, indagações, enigmas, perplexidades.
Tendo chegado a ela, senti que podia destruir tudo o que escrevi, porque tudo o que fiz estava contido em um vocábulo solitário, colocado no meio de uma folha de papel. Naquela noite, quando me ajeitei no porão da casa de Carlo Dario para contemplar o Aleph, contemplei algo mais: a possibilidade de criar esta palavra. Senti que meu destino era esse. Assim, em uma noite tão longa que me pareceu a junção de três noites, ainda que para meus olhos cegos a noite seja perene, cheguei à palavra.

Mas era grande demais e impossível de ser memorizada, guardada ou escrita, porque contém não 10 mil letras, porque 10 mil é um número que não se deve usar. Eram, no entanto, 9.999 letras multiplicadas por 9.998, por sua vez multiplicados por 9.997, e o resultado multiplicado por 9.996, assim continuando, por 9.995, por 9.994, por 9.993, até o infinito.

Essa palavra é o infinito, ou se preferirem a eternidade, e eu a percebi inteira, depois de décadas e décadas, por meio de todos os meus textos, contos e poemas, memórias e lembranças, recordações e premonições.

Eu a contemplei na totalidade dentro de minha memória e quem sabe o esforço feito, por ser uma coisa tão grande, tenha gastado todos os meus recursos mnemônicos, tenha explodido com a capacidade de guardar qualquer coisa, mínima que seja.

Quando me vi diante de uma palavra maior do que o universo, imaginei a possibilidade de reduzi-la, condensá-la, deixá-la seca e enxuta, mínima e utilizável. Foi quando depois de dias e noites em que os movimentos cessaram, os relógios ficaram imobilizados e o tempo deixou de existir que atingi a perfeição.

Aquela palavra foi condensada em oito letras, quatro vogais e quatro consoantes. Estava terminado. Porque "fui um homem que se propôs a desenhar o mundo. Ao longo dos anos, povoei o espaço com imagens de navios, torres, cavalos, armas e homens somente para descobrir, no momento de minha morte, que desenhei minha própria cara" (Frase final da Autobiografia).

Luz intensíssima domina tudo e então vem o blecaute total. A luz se reduz a um ponto que brilha no fundo, num canto: o Aleph. A cena dura alguns segundos e as cortinas se fecham. Na saída, o público encontra placas indicativas:

Biblioteca de Babel, Jardim das Veredas que se Bifurcam, Onze Esquinas, Cidade Imortal, Zoológico, East Lansing, Adrogué, Palermo Viejo, Calle Maipu, Biblioteca Nacional, Casa Colorada, Confitería Del Aguila, Estância El Retiro, Campos de Antelo, Balkh Nishapur, Jaula dos Tigres, Islândia. Cada flecha indica para um lado, para cima, para baixo, esquerda, direita, várias indicam para um ponto só. As placas serão colocadas enquanto a última cena estiver sendo vivida. O hall do teatro está mergulhado em suave penumbra. Só se vê o brilho de um foco no alto. É o Aleph.

FIM

O e-mail para Buenos Aires

São Paulo, marzo de 2005

Estimada Señora María Kodama,

Medianoche del viernes, 11 de marzo. Dos noches sin dormir después de su mensaje. Perdone, por favor, mi portuñol, pero es dificil escribirle a Ud., que conoce la magia del estilo. Pero, ¿escribirle en portugués? Con relación a *El Último Viaje de Borges*, creo, primero, que no se comprendió plenamente que el libreto no trata de la bella y profunda relación entre Borges y María Kodama. No me atrevería nunca a escribir sobre esta relación, porque solamente una persona tiene este derecho y la puede contar en su plenitud: usted que la vivió. Y creo sinceramente que este es el relato que usted (me permita tratarla así) debe a nosotros, a la literatura. No me permitiría nunca penetrar en la intimidad y en la privacidad, la respeto como lo respeto y lo admiro a Borges.

Tengo 68 años de edad, 27 libros publicados, muchos traducidos, una carrera solidificada en Brasil por la coherencia intelectual y la integridad. Incluso sufrí la persecución de la dictadura militar que me prohibió una novela (*Zero*), publicada primero en Italia por Feltrinelli. Conocí en carne propia y en el alma la amargura y el dolor de la palabra censurada, la imposibilidad de llegar al público.

Lo que hice no es ni una biografía ni una adaptación. Fue una alegoría que transcurre en la imaginación de Borges que agoniza (remember *As I Lay Dying*, de Faulkner) y camina dentro de su imaginario y de sus memorias y de sus lecturas hasta el fin. La acción verdaderamente comienza cuando Borges parte acompañado por sus personajes y amigos favoritos en busca de la palabra perfecta. Sueño de todos los creadores. Borges, durante toda su vida, se dedicó a la palabra perfecta. Luchó toda la vida por palabras perfectas. Buscando la palabra quería la vida, sabía que engañaría la muerte – una palabra que apenas aparece sugerida en el libreto. Este es el libreto: la síntesis de una vida dominando palabras, símbolos y poesía con imaginación, sueños, juegos, fantasías, invenciones, humor. El final del libreto es, al final de la vida, la muerte. Porque Borges, como todos los grandes escritores, no muere. Permanece, penetra en el infinito, en la eternidad que él conocía bien. Borges escribió su historia.

Quando Kodama se despide, ella sabe que no lo puede acompañar, que es el último viaje de Borges. Cena breve, seca, sin sentimentalismos, pero con dolor. Mi libreto es una metáfora sobre la poesía, la fantasía, la imaginación sin fronteras, el amor a las palabras (amor que llega a la obsesión), los sueños, las situaciones que un poeta crea y que lo acompañan a la eternidad. Para siempre. Borges en Brasil, renacido en cada representación rescatada como Autor, renacido para la juventud brasileña, para el público brasileño, para aquellos que no lo conocen. Borges permanente. Fábula, metáfora, elegía, libertad de creación, evocación. Este es el libreto, carísima María Kodama. Véalo así, con amor, sinceridad, emoción, creación provocada por un gran creador. Es la visión personal de un artista para otro. Lo dibujé desde mi punto de vista con amor, con humildad, con admiración y con ternura.

Una elegía, loor a un artista universal, patrimonio cultural, raro ejemplo de escritor universal en América Latina. Los que lo han leído acá, aquellos que tuvieron aceso al libreto – pocos críticos, profesores, entre ellos Jorge Schwartz – consideran que este es un momento clave en la dramaturgia brasileña: el retorno del teatro puro, de palabras, poético, en tiempos dominados por comedias comerciales vacías, con actores populares de la televisión. *El Último Viaje* nos hace pensar y repensar en un ejercicio que está desapareciendo. Y volver a pensar es lo que debemos hacer en una evocación a Borges.

Este es mi libreto, estimada e respetada señora Kodama que me recibió tan gentilmente en Buenos Aires. Su relación con Borges le pertenece, fue alma, corpo, espíritu, corazón, espacio sagrado, íntimo. Yo no podría invadir esto. Pero la imaginación borgeana pertenece hoy a la historia de la humanidad y de las artes, pura y grande. Ella fue un regalo para mejorar nuestras vidas y mentes. Estoy seguro que este es un monumento, pequeño, dedicado a Borges, según mi interpretación personal. El propio Borges tenía visiones diferentes de otros creadores. En mi libreto no hay ofensas, ni degradación de la imagen, ni una única palabra que lo desmerezca a Borges, que pueda levantar dudas, calumniar, denigrar, o estimular ambigüedades.

Un abrazo cordial y amistoso
de Ignácio de Loyola Brandão

Bibliografia

ABÓS, Álvaro. Al pie de la letra, Guia Literaria de Buenos Aires, Grijalbo, Buenos Aires, Argentina, 2000.

ANTOLOGIA. *Borges y la ciencia,* prefácio de María Kodama, Eudeba, Buenos Aires, 2004.

ARANA, Juan. *La eternidad de lo efímero*, Biblioteca Nueva, Madrid, 2000.

ARIAS, Martin e Hadis, Martin (organizadores). *Borges profesor*, Curso de Literatura Inglesa en la Universidad de Buenos Aires, Emecé, Buenos Aires, Argentina, 2000.

BARTUCCI, Giovanna. *Borges: a realidade da construção*, Literatura e Psicanálise, Editora Imago, Rio de Janeiro, 1996.

BORGES, Jorge Luis. *Obras completas*, Editora Globo, São Paulo, Brasil, 1998, quatro volumes, coordenação editorial de Eliana Sá, assessoria de Jorge Schwartz.

BORGES, Jorge Luis. *Um ensaio autobiográfico*, 1899-1970, Editora Globo, São Paulo, Brasil, 2000.

BORGES, Jorge Luis. *Libro de sueños*, Alianz Editorial, Madrid, Espanha, 1995.

BORGES, Jorge Luis. *Nuebe ensayos dantescos*, Alianza Editorial, Madrid, Espanha, 2001.

BORGES, Jorge Luis. *El círculo secreto*, prólogos y notas, Emecé, Buenos Aires, Argentina, 2003.

BORGES, Jorge Luis. *Cinco visões pessoais*, Editora UNB, Brasília, Brasil, 2002.

BORGES, Jorge Luis, e Kodama, María. *Atlas*, Editorial Sudamericana, Buenos Aires, Argentina, 1984.

BORGES, Jorge Luis e Clemente, José Edmundo. *El lenguaje de Buenos Aires*, Emecé, Buenos Aires, 1998.

BORGES, Jorge Luis e Casares, Bioy. *Libro del cielo y del infierno*, Emecé, Buenos Aires, Argentina, 1996.

BORGES, Jorge Luis e Gurrero, Margerita. *Manual de zoologia fantástica*, Fondo de Cultura Económica, México, 2001.

BOSCO, Maria Angélica. *Borges y los otros*, Vinciguerra, Buenos Aires, Argentina, 1999.

BRAVO, Pilar e Paoletti, Mario. *Borges verbal*, Emecé, Buenos Aires, Argentina, 1999.

BULACIO, Cristina. *Los escándalos de la razón*, Editorial Victor Ocampo, Buenos Aires, Argentina, 2003.

CANTO, Estela. *Borges a contraluz*, Editorial Espasa Calpe, Colección Austral, Madrid, Espanha, 1999.

CID, Marcelo e Montoto, Cláudio César. *Borges centenário*, Educ, São Paulo, Brasil, 1999.

COSTA, René da. *El humor en Borges*, Cátedra, Madri, Espanha, 1999.

COZARINSKY, Edgardo. *Borges en e/sobre cinema*, Iluminuras, São Paulo, Brasil, 2000.

DE QUINCEY, Thomas de. *Confissões de um comedor de ópio*, L&PM Pocket, Porto Alegre, Brasil, 2002.

FERRARI, Osvaldo. *Borges em diálogo*, Rocco Editora, Rio de Janeiro, Brasil, 1986.

FEVRE, Fermin. *Xul Solar*, Editorial El Ateneo, Buenos Aires, Argentina, 2000.

FISHBURN, Evelyn e Hughes, Psiche. *Um dicionário de Borges*, Torres Aguero Editor, Buenos Aires, Argentina, 1995.

GRAU, Cristina. *Borges y la arquitectura*, Cátedra, Madrid, Espanha, 1999.

HEKER, Liliana. *Diálogos sobre la vida y la muerte*, Aguilar, Altea, Taurus, Alfaguara, Buenos Aires, Argentina, 2003.

HELFT, Nicolas e Pauls, Alan. *El factor Borges*, Fondo de Cultura Económica de Argentina, Buenos Aires, 2000.

JURADO, Alicia. *Genio y figura de J. L. B.*, Eudeba S.E.M. Buenos Aires, Argentina, 1997.

KAFKA, Franz. *Parábolas y parodias*, Longseller, Errepar S.A. Buenos Aires, Argentina, 2000.

MELVILLE, Herman. *Bartleby, o escriturário*, L&PM Pocket, Porto Alegre, 2003.

MEURIS, Jacques. *Magritte*, 1898-1967, Taschen, Colônia, Alemanha, 1993.

MONEGAL, Emir Rodrigues. *Borges, una biografia literaria*, Fondo de Cultura Económica, México, 1993.

NOUGÉS, Germinal. *Buenos Aires, ciudad secreta*, Editorial Sudamericana, Buenos Aires, Argentina, 2003.

PAULS, Alan. *El factor Borges*, Anagrama, Barcelona, 2004.

PASCUA, Arturo Marcelo. *El lector de JLB*. Oceano, Barcelona, Espanha, 2000.

PONIACHIK, Jaime. *Jugar con Borges*, Ediciones de Mente, Buenos Aires, Argentina, 2003.

RICE, Edward. *Sir Richard Francis Burton*, Companhia das Letras, São Paulo, Brasil, 1990.

ROBLEDO, Epifanía Uveda e Vaccaro. Alejandro, *El Señor Borges*, Edhasa, Buenos Aires, 2004.

RUIZ DIAS, Adolfo. *Borges*, Ciudad Argentina, Buenos Aires, Argentina, 1998.

SARLO, Beatriz. *Borges, un escritor en las orillas*, Seix Barral, Buenos Aires, Argentina, 2003.

SCHWARTZ, Jorge (organizador). *Borges no Brasil*, antologia, Edição Unesp, Fapesp, Imprensa Oficial, São Paulo, Brasil, 2001.

SORRENTINO, Fernando. *Siete conversaciones con Jorge Luis Borges*, Editorial El Ateneo, Buenos Aires, Argentina, 2001.

SOSNOWSKI, Saul. *Borges e a cabala*, Editora Perspectiva, São Paulo, Brasil, 1991.

SWIFT, Jonathan. *Viagens de Gulliver*, tradução de Octavio Mendes Cajado, Editora Globo, Porto Alegre, Brasil, 1953.

TEITELBAUM, Volodia. *Los dos Borges, vidas, sueños, enigmas*, Editorial Sudamericana Chilena, Santiago, 1996.

TENDLARZ, Edit (organizadora). *Los que conovieron a Borges nos cuentan*, Três Haches, Buenos Aires, Argentina, 2000.

VÁZQUEZ, María Esther. *JLB esplendor e derrota*, uma biografia, Record, Rio de Janeiro, Brasil, 1999.

VÁZQUEZ, María Esther. *A memoria de los días*, mis amigos, los escritores, Emecé, Buenos Aires, 2004.

VERNANT, Jean-Pierre. *A morte nos olhos*, Jorge Zahar Editora, Rio de Janeiro, Brasil, 1991.

WOODALL, James, *JLB o homem no espelho do livro*, Bertrand Brasil, Rio de Janeiro, Brasil, 1999. *Cosmopolis-Borges y Buenos Aires*, Centro de Cultura Contemporánea de Barcelona, Espanha, 2002.

CUENTOS MEMORALES, según Jorge Luis Borges, Alfaguraa, Buenos Aires, Argentina, 1999.

LACAN COM MENCIO, BORGES, SAUSSURE, Las Conexiones del Psicoanalisis, Cuadernos del Cid, Bogotá Colombia, número 1, 2003.

XUL SOLAR, catálogo, Museu Nacional Centro de Arte Reina Sofia, Madrid, Espanha, 2002.

Ignácio de Loyola Brandão

(Araraquara-SP – 1936)

É autor de 27 livros, entre romances, contos, crônicas e viagens. Tornou-se crítico de cinema aos 16 anos em Araraquara, quando soube que o crítico não pagava cinema. Pobre, filho de um ferroviário, assim enveredou pelo jornalismo que faz até hoje. Em 1957, mudou-se para São Paulo e foi trabalhar no jornal *Última Hora* como repórter. Em 1966 passou para a revista *Cláudia* e seguiu em frente. Estreou com um livro de contos sobre a noite paulistana, *Depois do Sol*. Seu primeiro romance, *Bebel que a Cidade Comeu*, foi publicado em 1968. Em 1974, foi lançado na Itália o romance *Zero*, sua obra mais conhecida. O livro saiu no Brasil no ano seguinte, mas foi proibido em 1976 pelo Ministério da Justiça do governo Geisel. A obra só seria liberada em 1979. Nesse mesmo ano, Loyola abandonou o jornalismo para se dedicar exclusivamente à literatura. O retorno às redações se daria em 1990, quando assumiu a direção da revista *Vogue* e passou a escrever crônicas para o jornal *Folha da Tarde*. Em 1993, iniciou colaboração semanal no jornal *O Estado de S. Paulo*. Em 1996, submeteu-se a uma cirurgia para retirada de um aneurisma cerebral e registrou a experiência no livro *A Veia Bailarina* (1997). Tendo como temas centrais a ditadura militar e o exílio, sua obra romanesca faz uma crítica amarga da sociedade brasileira, mas ele falou também do amor e da solidão. Em suas crônicas, são freqüentes as referências à infância em Araraquara, aos colegas de geração e ao cotidiano da cidade de São Paulo.

Obras do Autor

Depois do sol, contos, 1965

Bebel que a cidade comeu, romance, 1968

Pega ele, silêncio, contos, 1969

Zero, romance, 1975

Dentes ao sol, romance, 1976

Cadeiras proibidas, contos, 1976

Cães danados, infantil, 1977

Cuba de Fidel, viagem, 1978

Não verás país nenhum, romance, 1981

Cabeças de segunda-feira, contos, 1983

O verde violentou o muro, viagem, 1984

Manifesto verde, cartilha ecológica, 1985

O beijo não vem da boca, romance, 1986

A noite inclinada, romance (novo título de *O ganhador*), 1987

O homem do furo na mão, contos, 1987

A rua de nomes no ar, crônicas/contos, 1988

O homem que espalhou o deserto, infantil, 1989

O menino que não teve medo do medo, infantil, 1995

O anjo do adeus, romance, 1995

Strip-tease de Gilda, novela, 1995

Veia bailarina, narrativa pessoal, 1997

Sonhando com o demônio, crônicas, 1998

O homem que odiava a segunda-feira, contos, 1999

O anônimo célebre, romance, 2002

Melhores crônicas Ignácio de Loyola Brandão,
seleção Cecilia Almeida Salles, 2004

Cartas, contos (edição bilíngüe), 2005

O segredo da nuvem, infantil (prelo), 2005

Projetos especiais

Edison, o inventor da lâmpada, biografia, 1974

Onassis, biografia, 1975

Fleming, o descobridor da penicilina, biografia, 1975

Santo Ignácio de Loyola, biografia, 1976

Pólo Brasil, documentário, 1992

Teatro Municipal de São Paulo, documentário, 1993

Olhos de banco, biografia de Avelino A. Vieira, 1993

A luz em êxtase, uma história dos vitrais, documentário, 1994

Itaú, 50 anos, documentário, 1995

Oficina de sonhos, biografia de Américo Emílio Romi, 1996

Addio Bel Campanile: A saga dos Lupo, biografia, 1998

Leite de rosas, 75 anos – Uma história, documentário, 2004

Adams – Sessenta anos de prazer, documentário, 2004

Romiseta, o pequeno notável, documentário, 2005